가천 인문 책 프로그램 스물여덟

나의 튜토리얼 회고록

퀘스트[1] 목록

시작 가능 진행 중 완료

퀘스트 목록

시작 가능 / 진행 중 / 완료

리듬

부록

Supporter's Level Up

#성장하는 #서툴렀던_과거

New Quest !

Supporter's Level Up

이미현

초등학교 4학년, 언니의 친구가 처음 나에게 게임을 알려주었다. 내 최초의 게임은 그렇게 시작한 RPG 게임이었다. 새로 시작한 게임은 정말 재미있었다. 내가 잡지 못하던 몬스터를 이길 수 있다는 쾌감. 전에는 할 수 없던 것을 할 수 있게 되는 것. 그것이 내가 RPG 게임을 하는 이유였다. 시간이 지나 너무 바빠서 게임을 하는 시간이 줄어들었다고 하더라도, 조금의 시간이 나면 지인을 불러 RPG 게임을 켠다. 그 시간이 내가 살아가는 가장 즐거운 시간 중 하나였다.

요즘은 MMORPG를 하고 있다. 이 장르의 특징은 사람과 함께 싸우는 것이다. 그냥 RPG 중에서도 사람과 부딪혀가면서 커다란 일에 부딪혀 싸워가는 것. 그것이 어떨 때는 힘들고, 두려워서 내뺀 적도 있었던 것도 같았다. 나는 그 게임에서 주로 서포터를 맡았다. 남을 치료하고, 아군에게 이로운 효과를 주고, 적군에게는 해로운 효과를 주는 일. 그게 내가 하면서 가장 즐거운 일이었다.

나는 낯을 심하게 가린다. 갑작스레 누군가 말을 걸면 말을 더듬는다. 앞에 나서서 말을 하고자 하면 머리가 하얗게 지워지는 것 같다. 그래서 내가 가장 싫어하는 과제가 있다면 조별 과제였다. 어쩔 수 없이 사람들이랑 부딪혀야 하는 과정이 내게는 너무 괴로웠다. 사람들이랑 대화를 할 때에도 내 의견을 제대로 피력할 수 없었다.

혹여 다들 괜찮은 의견이라고 생각을 하는 부분에서 나 혼자 아니라고 할까 봐, 상대방이 내 의견을 비판할까 봐 나는 내 의견을 말하지 않는 방법을 선택했다. 고등학교 때까지만 하더라도 사람들이 무얼 하고 싶냐고 하면 역으로 되물어 그 친구의 의견을 선택했다. 나는 언제까지나 '서포터'였다. 내가 나서서 하기를 싫어한다. 단지 아군을 돕거나 아군과 함께 내가 할 수 있을 거라고 생각하는 부분만 뒤에서 조심스레 하는 것. 나는 현실에서는 누군가를 도와주는 것이 즐거워서가 아니라 내 소심함에 강제로 멱살이 잡혔다.

그러나 이것도 어느 순간부터 통하지 않았다. 대학교로 진학하고 가장 처음 맞이한 조별 과제는 정말 대단했다. 단지 학번이 가장 먼저라는 이유로 내가 팀장을 맡게 되었다. 내가 다니던 학교에서는 '국어국문학과'가 모든 학번 중에서 가장 먼저였기 때문이다. 단지 학과가 그렇다는 이유로 어쩔 수 없이, 내가 원한 것도 아닌 팀장이 되었다. 그리고 그 조는 내가 기억하기로의 최악의 조였다.

10

우리가 발표해야 할 부분에 대해 미리 교수님께 연락을 드려야 하는 구조였다. 우리가 발표하려는 것은 '산자들'이라는 소설을 읽고, 그에 관한 토론거리를 만들어 학생들의 토론을 이끌어내야 하는 역할이었다. 연락을 처음 넣었던 그 순간부터 나는 이상함을 느꼈다. 6명의 조였는데 한 카카오톡으로 대화한 내용에서 채팅 옆의 숫자 '1'이 절대로 사라지지 않았다. 한 친구가 가장 먼저 도망을 쳤다. 이제 남은 사람은 5명. 나는 아직 충분하다고 생각했다.

교수님께 말씀드린 날, 교수님은 6개의 질문 중, 5개를 반려시키셨다. 교수님이 요구한 조건에 턱없이 부족한 내용의 질문이었기 때문이었다. 그리고 나는 다시 그 내용에 대해서 상의하고자 카카오톡에 그 내용을 올리고 상의하고자 했다. "우리 이 조건에 맞춰서 질문 다시 짜보면 어때요?" 그리고 이 답변 옆에 숫자는 3에서 더 이상 줄지 않았다. 2명은 더 이상 돌아오지 않았다. 발표 당일까지 그 카카오톡을 읽는 사람은 그 셋 중에 아무도 없었다. 아무도.

이제 남은 사람은 셋. 지금은 토요일이고 교수님께 다시 메일을 보내야 하는 기한은 월요일! 나는 그때 큰 절망을 느꼈다. 나는 아무래도 이런 일을 하는 것이 맞지 않나 보다. 나는 상의하면서도 교수님의 조건에 맞지 않는 질문들만 나오는 것을 보고서 정말 나 혼자 해야 한다는 생각이 들었다.

나는 월요일에 교수님께 연락을 드리지 못했다. 나 혼자 화요일까지 그 질문을 만들었다. 나는 사람들을 이끄는 일은 아무래도 글러먹은 것 같았다. 결국 혼자서 준비하기로 결심했다. 내 첫 팀장의 경험은 망했다! 처참하게도 어떻게든 보스를 때려눕혔지만 이미 팀원은 전멸해 있었다. 서포터 자격 실격이었다.

그다음 경험은 학교를 옮기고 나서의 일이었다. 나는 실질적인 조장은 아니었다. 하지만 아무도 내가 말을 꺼내기 전까지 아무 말도 하지 않았다. 나는 그 말을 전하는 것이 조심스러워 몇 번이고 망설이다가 입을 열었다. "저희 정말 준비해야 하지 않을까요? 저희 주제 뭘로 할까요?" 그리고 그 이후로 발표 일주일 전까지 준비하자는 이야기가 없었다. 아무런 이야기도.

일주일 전 고민하고 또 고민하다가 카카오톡에 정말 시작하자는 취지로 이것저것 이야기를 올렸지만 그 이후에 돌아오는 내용은 한 명의 조원이 힘들다는 이유로 중도 하차했다는 이야기였다. 나는 그 이야기를 듣자마자 화가 머리끝까지 나서 그 조원과 이야기를 하고자 했다. 아무리 그래도 이런 이유로 갑작스레 나갈 수는 없는 거잖아! 나는 안

일하게 생각했고, 갈등은 생각보다 깊었고, 나는 아무 것도 할 수 없었다. 그 친구가 제안하여 만들어진 2학년 수업의 바보 같은 1학년 팀은 멍하니 남았다.

교수님께도 말씀드리고 우리는 아무 것도 할 수 없다고 여러 번 주장했지만 사실 아무 것도 변하지 않았다. 그때 생각한 가장 큰 생각은 '나서지 말걸. 왜 나서서 괜히 나는.'이었다. 그 조별과제를 마무리하고 집에서 많이 울었었다. 그리고 그 보스를 잡기 위해 제대로 서포트를 하지 못한 대가로 나는 그 학기 처음으로 'C'라는 점수를 받아보았다. 정말, 처음 보는 글자였다.

'적 말고 동료들을 보자.' 내가 했던 게임에 나온 대사 중 하나이다. 나는 엄청난 힘으로 보스를 죽이는 용사도 아니다. 게임에서도 나는 힘이 약하지만, 남들에게 도움이 되는 캐릭터를 맡았다. 내 시야에는 적과 동시에 아군을 담아야 했다. 아군의 위치, 아군이 어디에서 어떤 도움을 필요로 하고 있는지. 어디 위치에 있어야 아군을 전부 포용하면서도 적군에게 해로운 효과를 얹어줄 수 있는지. 내가 서포터를 하면서 가장 많이 느낀 것은 리더는 용사가 될 수밖에 없지만, 가장 사람들을 많이 보아야 할 위치는 서포터였다.

13

나는 말뿐인 서포터였다. 과제라는 보스를 때려눕힐 생각에 아군은 보지도 않고 적한테 뛰쳐나가는 바보였다. 내가 레벨 업을 해야 할 것은 힘이 아니라 남을 바라보는 시선이었는데. 나는 아무것도 몰랐다. 아무리 강해져봤자 서포터는 혼자서 할 수 없다. 용사도 혼자서 보스를 잡지 못하는데 서포터라면 더하겠지. 나는 단지 낯을 가린다는 이유로 외면했던 것이다. 남에게 화를 낼 시간에 어떻게 하면 조율할 수 있는지, 조금 더 이야기를 나눠보고 차분하게 정리할 수 있었을 텐데. 고등학교의 어린 마음이 전혀 자라지 않은 채로 덩그러니 진학해버렸다.

나는 한 학기 학교를 쉬었다. 도망치고 싶은 마음이 컸다. 자격증 시험이라는 변명으로 쉬었지만, 나는 휴식해도 휴식이 아닌 한 학기를 보냈다. 그리고 다시 복학한 학교에서 바라보는 새로운 학기는 내게 새로운 국면을 가져왔다. 더 이상 내가 나서지 않아도 알아서 하는 팀이 있었고, 조장이 없는 팀에서도 서로 나서서 힘내는 팀이 있었다. 나는 그런 모습을 보고서야 감명을 받았다. 이렇게 할 수도 있었구나, 하면서. 내가 회피했던 모든 일들이 눈에 제대로 들어왔다. 레벨 업이라는 건, 사실 별거 아니었다. 그냥 시야만 더 넓히면 되는 것이었다.

나는 복학 후 그다음 학기, 어떤 프로젝트를 진행하게 됐다. 사실 나는 대단한 역할을 맡지는 않았다. 내가 잘하는 것은 여전히 없었고, 나는 여전히 낯을 가린다. 아직도 나서는 것은 죽어도 싫어했다. 나는 용사는 될 수 없었다. 적에게 훌륭하게 뛰어가는 용기 있는 사람은 될 수가 없었다. 나는 여전히 서포터의 이름을 달고 살아가고 있었다.

하지만 우리 팀에는 나서서 무언가를 하는 일은 멋진 조장과 조원이 칼을 들고 나서주었고, 나는 여전히 후방에서 그런 모습을 기록하는 카드 뉴스를 만들었다. 비록 우리가 보스를 잡는 방법이 틀렸다고 한들, 내가 잡은 보스 중 가장 멋지게 잡은 보스는 그 녀석이었다. 나는 아직도 미숙한 서포터였지만, 그러면 어때, 기록된 것이 아직도 기쁘게 남아있는데. 한 발 한 발 같이 발맞춰서 배워가다 보면 나 하나의 레벨업이 아니라 모두의 레벨 업이 되는 것이었다.

아직도 나는 미숙하고 완성되지 않은 서포터이다. 사실 용사가 될 용기가 없어 서포터를 자처하는 바보였다. 그래도 언젠가 완성이 된다면, 도망가기 위해 선택한 바보 같은 서포터보다는 차라리 누구나 원하고 도움이 되는 서포터가 낫지 않을까? 나는 여전히 커다란 보스를 눈앞에 두고 있고 여전히 두렵고, 가끔은 도망치고 싶기도 하다. 나는 여전하다. 그래도 언젠가는 저 보스도 아무렇지 않은 사소한 일이 될 날이 온다면.

[퀘스트 보상] 엘소드(2007)

오픈 라이프

#자유 #넓어진_세상

New Quest !

오픈 라이프

이혜람

갓 성인이 되어서 은행 업무를 보러 간 적이 있다. 사실, 무슨 업무였는 지도 기억이 잘 나지 않는다. 그저 필요하다고 들었을 뿐이었다. 결과는 당연히 처참했다.

"잠시만요, 비밀번호 좀 물어볼게요."

"어… 이건 무슨 뜻인가요?"

이렇게 되면 뭐가 좋은 거예요?"

그야말로 질문과 질문의 연속이었다. 부모님께 전화를 몇 번이나 했는지 모른다. 나 또한 혼란스러웠지만, 직원 분도 고생이 많으셨을 것이다. 그때 처음으로, 나는 그대로인데 갑자기 나를 둘러싼 환경이 바뀌었다고 느꼈다.

세상이 달라졌다는 말은 드라마나 만화에서나 나오는 진부한 표현이라고 생각했다. 스스로가 겪을 일 없다고 자만했다. 고등학교 3학년까지 수능만 잘 보면 되는 것처럼 모두가 말해서 수능만 잘 끝내면 다 되는 줄 알았고, '성인인 나'는 멀게만 느껴졌다. 그러나 수능이 끝나고 졸업을 한 지 얼마 되지도 않아서 제대로 된 준비가 되지 못한 채 성인이 되었다. 갑자기 갈 수 있는 장소도, 할 수 있는 일도, 그리고 해야 하는 일도 기하급수적으로 늘어나 있었다. 내 세상은 그때 달라졌다.

대부분의 사람들은 고등학생까지 비슷한 인생을 살게 된다. 입시를 목표로 진도는 다 다르지만 결국 비슷한 내용의 지식을 수능 날까지 공부한다. 각자가 목표하는 정도는 조금씩 다를 지 몰라도 결국 자신들만의 방식으로 비슷한 목표를 위해 노력하고 있다. 수능만 끝나면 다 각자의 길로 가는가? 글쎄, 중고등학생 때보다 더 다양한 진로로 각자 나아가는 것은 맞지만 결국 그것 또한 대부분 취업과 창업의 길 아니던가? 과거보다 인생 계획이 획일화되지 않다고는 하지만 대부분이 생각하는 이상적이거나 가장 보통의 인생은 존재하기 마련이다.

RPG에서 게임을 하는 사람의 목표는 대부분 악당을 물리치거나, 특별한 업적을 세우는 것에 있다. 많은 사람들이 그 특정한 목표를 위해 짜인 길을 가면서 각자 자신만의 방법으로 나아간다는 점은 우리의 삶과 맞닿아 있다. 그 목표는 게임의 수만큼 다양하고 가지각색이지만 결국 수많은 사람들이 똑같은 목표를 향해 비슷한 경로로 나아간다.

중간중간 자기소개서를 채우기 위해 각자가 필요한 서로 다른 활동을 하듯이 게임에서도 다른 사람들의 부탁을 들어주거나, 원활한 진행을 위해 성장하는 등 여러 가지 다른 활동이 존재한다. 그러나 결국 이 모든 활동은 최종적인 목표를 향해 나아가는 과정 중 하나일 뿐이다.

이런 일직선의 구조에서, 행동의 자유를 준 게임의 장르가 '오픈 월드'이다. 오픈 월드에서는 RPG에서 그저 배경에 불과했던 강이나 산에도 갈 수 있으며, 사소해 보이는 소품을 이용할 수 있다. 그야말로 자유로운 게임인 것이다. 처음에는 이런 자유가 명확한 방향성이 보이지 않기 때문에 오히려 어디로 향해야 할 지 몰라서 당황하며 어쩔 줄 모르기도 한다. 그저 "앞으로만 가면 돼"만 알고 살다가 주어진 자유에 당황하는 모습이 어딘가 익숙하지 않은가? 그렇다, 나의 은행업무. 우리의 삶은 오픈 월드다.

오픈 월드 게임에서 사람들은 자유롭게 행동한다. 누구보다 먼저 목표를 이루기 위해 열심히 달려가는 사람이 있는가 하면, 등장인물과 대화하면서 특유의 분위기를 즐기기도 하고, 어떤 사람들은 기상천외한 방법으로 사건을 해결하기도 한다. 또 누군가는 구석구석에 놓인 작은 물건들을 살피며 이 물건이 어떻게 작용하는 지 실험해보기도 한다. 그 작고 하찮아 보이는 사소한 물건 하나, 그러나 그 사소한 하나가 큰 도움을 주거나 힌트가 되기도 한다.

약 2년 전, 우연히 오케스트라를 보게 되었다. 계기는 매우 사소했는데, 우연히 오케스트라가 열린다는 광고물을 보게 된 것이다. 그 작은 광고 하나가 잊히지 않아서 돈을 탈탈 털어 처음으로 오케스트라 공연을 보러 갔다. 사실, 그 전까지지는 박물관이나 미술관 등의 관람을 무척 지루하게 생각했다. 오케스트라 공연을 보기 직전까지도 큰 기대가 없었다. 그냥 한 번 경험해보자는 생각이 강했다.

자, 이제 슬슬 눈치 챈 사람도 있을 것이다. 그래, 처음부터 끝까지 두 눈을 크게 뜨고 홀린 듯 보며 오케스트라를 즐겼다. 운이 좋게도 처음 보는 오케스트라에 맞게 쉽게 즐길 수 있는 음악으로 구성되어 있었고, 그 음악에 호응할 수도 있게 해주었다. 결국 그 이후로 오케스트라 감상은 내 비싼 취미에 당당히 자리잡았다.

오케스트라가 내 취미로 자리잡은 후에, 미술관에 가본 적이 있다. 내가 잘 알고 있다고 생각한 나의 취향을 멋대로 재단하지 않기로 했다. 관심있는 전시가 나올 때까지 기다리다가 괜찮은 전시가 뜨자마자 친구를 데리고 보러 갔다. 비 오는 날, 어렵게 찾아간 그 전시회는 사실 마음에 들지는 않았다. 생각보다 전시회는 재미가 없었고, 고요하고 정적인 분위기는 괜히 눈치를 보게 만들었다. '난 미술 전시에는 흥미가 없나 보다'라며 나 자신의 취향을 알아내는 것에 그쳤다.

계속해서 장소에 대한 이야기만 한 듯하다. 사람에 대한 이야기를 해볼까? 대학교에서 사귄 친구가 있다. 예체능 계열의 학과에서 사교성이 좋아서 많은 사람들과 알고 지내는 친구였다. 그 친구는 다른 친구와 여기 저기 잘 놀러 다니기도 하고, 새로운 것이 있으면 먼저 도전하고 시도해보는 사람이었다. 그때까지 나나 내가 어울렸던 친구들과는 정 반대의 사람이었다. 처음에는 여러모로 많이 당황했다. 내가 예상했던 것과 전혀 다른 흐름의 대화, 행동, 생각. 자연스레 처음 겪는 일이 많아졌다. 예기치 못한 상황에 처하기도 하고, 생각 외로 흥미로운 일이나 이익을 보기도 했다. 사람과의 관계 하나가 전혀 다른 다양한 경험을 겪을 수 있게 만들어 주었고, 이는 나에게 신세계로 다가왔다.

어느 순간 넓어진 세상을 깨닫게 되고, 어디로 가야 할 지, 어떻게 해야 할 지 모를 때가 있다. 그런 혼란은 어느새 자신의 시야를 좁게 만드는 원인이 되기도 한다. 혼란을 즐기며 주변을 둘러보는 것은 어떨까? 지금 당장 목표가 보이지 않는다고 해서 무리하게 목표를 설정하고 달려나가는 것은 추천하지 않는다. 이미 세상에는 수많은 다양한 장치들이 배치되어 있다. 그 장치를 발견하고 자신과 세상을 알아가는 건 우리의 몫이다.

우리가 가만 있다고 해서 시간은 멈추지 않는다. 우리가 원하든, 원하지 않던 간에 세상은 자기 멋대로 찾아와 '내가 여기 있어'라고 말하며 존재감을 뽐낼 것이다. 강제로 찾아온 그 존재감을 깨닫게 되는 순간, 우리는 우리가 우물 안 개구리였음을 알게 되며 우물 밖이라는 넓어진 세상을 마주하게 된다. 아직 우리는 해본 것보다 안 해본 것이 더욱 많고, 경험한 것보다 머릿속으로만 알고 있는 지식이 훨씬 많다. 우리는 세상이라는 콘텐츠를 규칙이라는 제약 안에서 자유롭게 누빌 권리가 있다.

넓은 세상에서 구석구석을 찾아다니거나, 많은 사람과 만나 다양한 이야기를 나누고, 우연히 발견한 행운에 기뻐하기도 하면서, 쓸데없어 보이는 일에 즐겁게 매진하는 등 우리의 세상을 자유롭게 탐험해보았으면 좋겠다. 그것이 우리의 오픈 월드, 오픈 라이프가 아니겠는가?

TIP! 삶의 마지막까지 더 넓은 세상을 모험하세요.

익숙함과 새로움

#2회차　#개안(開眼)

New Quest !

익숙함과 새로움

천성혁

집으로 향하는 버스에 피곤한 몸을 싣고 돌아가던 어느 날이었다. 그날따라 날씨가 우중충한 게, 마치 온 세상에 잿빛이 사뿐히 내려앉은 것 같았다. 곧 비가 올 듯한 날씨였다. 이런 우울한 날씨가 대개 그렇듯이, 사람의 감수성을 자극하는 무언가가 있었다. 하던 웹서핑을 그만두고 버스 창문 너머를 보니 주변의 풍경이 보였다. 그걸 멍하니 바라보며 여러 잡념의 흐름에 정신을 맡겼다. '아 오늘 뭐 먹지', '이런 우중충한 날씨라도 은근히 퇴폐미가 있네' 따위의 시시콜콜한 잡생각이 들 무렵이었다.

'어? 뭔가 처음 보는 곳 같은데?'

알 수 없는 위화감이 들었다. 몇 년 동안 다니던 같은 길이었는데, 마치 처음 보는 풍경인 것처럼 느껴졌다. 뭔가에 홀린 듯, 나는 창밖을 계속 쳐다봤다. 찬찬히 둘러본 결과 나는 어렵지 않게 결론에 도달할 수 있었다.

'아, 졸다가 정류장을 지나쳤구나.'

정신을 차려 보니 세 정거장을 더 갔던 것이다. 바로 하차 벨을 누르고 내리니 낯선 풍경이 날 반겨주었다. 한숨을 쉬며 지도 앱을 켰다. 다음 버스는 이십 분 뒤에나 온단다. 차라리 걷는 게 빠르겠다는 생각이 들어 무작정 걷기 시작했다. 걷다 보니 처음 보는 장소들이 계속 나타났다. 모르는 길, 모르는 상가, 모르는 아파트… 이곳에 산 지 삼 년이 다 되어가는데, 마치 이 동네에 처음 온 것만 같았다. 새로운 공간을 탐사한다는 약간의 흥미로움으로, 짜증이 나던 기분을 누그러뜨릴 수 있었다.

아마 이렇게 말하는 사람도 있을 것이다.

"아니 어떻게 삼 년째 사는 자기 동네 주변도 모를 수가 있어요?"

어쩔 수 없다. 나는 극단적인 집돌이다. 외출을 별로 좋아하지 않는다. 좀 심할 정도라 일이 없다면 일주일에 한두 번 나갈까 말까 하는 정도다. 편의점에 들르거나 산책하는 것을 포함하더라도 말이다. 게다가 만약 나가더라도 항상 다니던 길로만 다녔다. 이 때문에 집 근처임에도 한 번도 가보지 않은 곳이 대부분이었다. 얼마 전까지는 집 바로 옆에 사잇길이 있는 줄도 몰라 먼 거리를 빙 돌아가기도 했다.

되돌아보면 이번에만 해당하는 일이 아니었다. 나는 살아왔던 곳을 자세히 알고 있었던 적이 한번도 없었다. 아주 어릴 적부터 그랬던 것 같은데, 그때도 집에서 학교로 등교하는 길 말고는 그 동네에 대해 아무것도 몰랐다. 나중에도 주변 PC방 위치 정도나 알았지, 지리에 대해 무지했다. 엄밀히 말하자면 관심조차 없었다는 말이 더 정확하겠다.

고등학생 시절에도 행동 양식이 크게 바뀌지는 않았던 것으로 기억한다. 항상 다니던 대로변의 거리 말고는 아는 곳이 없었다. 그 동네에 살고 삼 년이 되어서야 아파트 단지 안에 상가가 있었다는 걸 알 정도였으니 말이다. 학교와 반대 방향에 있었기에 한번도 오갈 일이 없었다. 한번은 이런 일도 있었다. 다른 동네에 사는 중학생 시절 친구가 있는데, 내가 사는 곳 주변에서 그와 만나 영화를 본 뒤 식사하기로 했다. 그런데 내가 잘 아는 식당이 없었다. 친구에게 그 말을 하니, 어처구니가 없다는 듯한 대답이 돌아왔다.

"야, 네가 사는 동네인데 왜 가끔 놀러 오는 내가 더 잘 아는 것 같냐?"

바로 근처에 사는 그 동네 사람이 외지인보다 더 모르다니, 뭐라 변명할 말조차 찾을 수 없이 부끄러운 일이었다.

최근이라고 다르지는 않다. 수강했던 강의의 이수 변경을 위해 학교의 학사지원팀을 찾아갈 일이 있었다. 그런데 위치가 어딘지를 몰랐다. 겨우겨우 알아낸 결과는 허탈했다. 자주 가던 카페의 맞은편에 있었던 것이다. 어떻게 여태 모르고 지냈는지 신기할 지경이었다.

29

이런 일들을 겪고 나니 적어도 내 삶 주변에 대해서는 알아야 하지 않을까 하는 생각이, 그리고 나는 내게 익숙한 범위를 벗어나 본 적이 없다는 생각이 들었다. 그래서 몸도 움직일 겸, 종종 산책하기로 했다. 이번에는 항상 다니던 길이 아닌, 잘 모르는 길로 말이다.

모르는 길로 처음 다닐 때는 미지에 대한 약간의 두려움이 있었다. 이 길이 맞나? 여기로 가도 되나? 하는, 그런 감정 말이다. 그래도 큰 문제는 되지는 않았다. 저녁 바람이 얼굴을 훑고 지나가면 두려움도 함께 날아가 버렸으니까.

산책하며 여러 경험을 했다. 뚫린 길인 줄 알았는데 막다른 골목이었다거나, 반대로 막다른 골목인 줄 알았는데 옆으로 이어진 길이었다거나 하는 경우도 있었다. 마침 눈에 보이던 코인노래방에 들어가 좋아하는 곡을 몇 곡 부르기도 했고, 정처 없이 걸어가며 생각을 정리하기도 했다. 집 안에 처박혀 있었던 때와는 확연히 다른 경험이었다. 머릿속이 환기되니 행동이나 사고방식이 조금 바뀌었다. 생각이 정리되니 우유부단하던 것이 줄었다. 이전까지는 뭔가 결정을 내리려 해도 확신이 없어 갈팡질팡했다. '이게 맞나?', '이렇게 해도 되나?', '틀리면 어떡하지?' 하며 말이다. 지금은 '틀리면 다음에 고치면 되지', '처음부터 완벽해지기를 바라는 건 욕심이다' 같은 생각으로, 확신이 없더라도 결정을 내릴 때 무작정 불안해하지는 않게 되었다.

RPG를 할 때면 성장에 너무 치중한 나머지 다른 것에 소홀해질 때가 있다. 내 경우에는 캐릭터의 레벨을 올리고, 더 좋은 장비를 얻기 위해 게임을 정신없이 했던 시기가 있었다. 그런데 어느 순간, 내가 게임을 제대로 즐기고 있는지 의문이 들었다. 빨리 레벨을 올리기 위해 스토리는 무시하거나 건너뛰었고, 공략대로 효율이 좋은 사냥터에서 종일 사냥만 했었다. 정신을 차려보니 게임의 스토리는 단편적으로만 알고 있었다. 외견 코디, NPC[2]들의 설정, 세계관 설정 등 게임의 다양한 요소들에 대해서는 아는 게 없었다. 내가 '게임'을 즐기긴 했는데, '이 게임'을 즐겼다고는 도저히 말할 수 없는 것이었다.

이렇게 되니 이전만큼 열정적으로 게임에 임할 수 없게 되었다. 조금 식어버린 것이다. 그렇다고 게임에 애정이 없는 건 아니기에 놓아주지도 못하는, 이도 저도 아닌 애매한 상태가 되어버렸다. 방향성을 잃어버린 채 망망대해를 표류하는 기분이었다. 한동안은 일일 퀘스트만 하고, 마을에서 멍하니 점프만 하다 접속을 종료하는 것이 일상이었다.

그런 지루한 날들이 이어지니 게임이 영 재미가 없었다. 슬슬 게임에 지쳐가던 중이었다. 함께 게임을 즐기던 길드원이 고민을 듣고는 말했다.

"그럼 처음부터 다시 시작해 보는 건 어떠세요?"

나쁘지 않은 제안이라고 생각한 나는 새 캐릭터를 육성하기 시작했다. 이번에는 퀘스트를 따라 천천히 스토리를 음미해가면서, 세계관을 즐기기 시작했다. 메인 퀘스트와 서브 퀘스트를 통해 NPC와 세계관의 설정을 이해하게 되었다. 지도 구석진 곳에 방치된 옛 퀘스트를 즐기기도 했고, 지금은 인적이 드문 이전 확장팩[3]의 지역을 구경하기도 했다. 보상은 쥐뿔만큼도 없지만, 업적[4]이 거기 있다는 이유만으로 며칠에 걸쳐 업적을 깨기도 했다. 그렇게 다양하게 게임을 즐기다 보니 게임에 대한 열정이 살아났다. 이전처럼 캐릭터 창의 장비나 숫자에 연연하지 않고, 게임 그 자체를 즐길 수 있게 된 것이다.

삶도 게임도, 진행하다 보면 가로막힌 듯한 답답함을 느낄 때가 있다. 어쩌면 익숙한 환경에서 벗어나는 것으로 생각을 환기해 새로운 관점을 얻을 수 있지 않을까. 그리고 그 관점으로 답답함을 해소할 수 있지 않을까.

[퀘스트 보상] 발더스 게이트 3(2023)

? 여기서 잠깐 !

#RPG

RPG는 'Role-Playing Game'의 약자로,

플레이어가 특정한 캐릭터를 선택해 조종하며 게임을 진행하는 장르다.

주요 특징은 다음과 같다.

1. 역할 수행: 플레이어가 게임 내 특정 캐릭터의 역할을 맡아 수행한다.
2. 캐릭터의 성장: 전투나 임무를 통해 경험치를 얻어 레벨을 올리는 것으로 캐릭터를 성장시킬 수 있다.
3. 스토리텔링: 타 게임 장르에서도 스토리를 다루기도 하지만, RPG에서는 게임을 진행하기 위한 핵심 요소이기에 특히 중요하다.
4. 선택과 결과: 플레이어의 선택과 행동이 게임의 진행에 영향을 준다. 종종 게임의 결말에까지 영향을 미치기도 한다.

건강이란 게임에서 게임오버

#후회 #다시_한번

New Quest !

건강이란 게임에서 게임오버

오소영

살면서 제일 중요한 것은 건강이며, 건강이 망가지면 모든 게 망가진다. 참으로 당연한 사실이지만 너무 당연한 나머지 잊고 살아가는 경우가 많다. 하지만 그렇게 명심하지 않고 방치해 두고 있으면 어느 날 예기치 못한 순간에서 날벼락을 떨어뜨릴지도 모르는 일이다. 나는 그 사실을 잊고 살다가 어릴 때 방치해두던 질병이 나중에 눈덩이처럼 불어나 일상에 큰 타격을 받은 적이 있었다.

초등학교 5~6년 때였는지 중학생 때였는지 정확히 기억이 나진 않지만 그날을 비롯하여 그때쯤에 자주 넘어지곤 했다. 가까운 전날에도 길을 걷다가 넘어지면서 무릎이 세게 부딪혔고, 그 날도 집 안에서 실수로 넘어지면서 무릎을 부딪히게 되었다. 부딪힌 직후에는 다소 아프긴 했어도 그냥 파스만 바르고 넘어갔었다. 솔직히 무릎 부딪힌 걸로 몸에 큰 이상이 생긴다곤 보통 생각을 못 하기도 하고, 워낙 평소에 잘 덤벙대서 넘어지고 부딪히는 일이 잦아 그날도 그냥 별생각 없이 넘기려고 했었다.

그런데 그날 부딪힌 건 뭔가 더 셌던 건지, 아니면 그동안 하도 부딪히고 다녔던 게 쌓였던 건지 이후의 무릎 상태는 평소와 좀 달랐다. 다리를 또 부딪히게 되었을 때, 뭔가 평소와는 다른 이물감이 무릎에서 느껴졌고, 뭔가 평소에 부딪혔을 때보다 훨씬 아프게 느껴지는 것이었다. 느낌이 이상하여 다리를 확인하니까 왼쪽 다리 무릎 바로 밑에 무언가 튀어나와 있었다. 혹 같은 것이 생겼는데, 만지면 살짝 물렁한 것이 근육이 튀어나온 것 같으면서도 근육이라기엔 딱딱한 것이 뼈 같은 감촉도 드는데 만지면 살짝 아픈 느낌이 나고, 한쪽 방향으로 꾹 누르면 살짝 움직이는 게 의학적 지식이 전무한 나로서는 도저히 무엇인지 짐작할 수 없었다.

처음에는 금방 사라질 것이라 생각했다. 혹이 생긴 게 처음이기도 하고 이런 부분에 대한 지식이 부족해서 파스를 붙이다 보면 어느 순간에는 가라앉을 것이라고 생각했다. 하지만 나의 바람과는 다르게 혹은 계속해서 남아 있었다. 사라지기는커녕 오히려 커졌다. 실은 혹이 생긴 이후에도 잘 부딪히는 버릇이 사라진 게 아니라서 혹이 생긴 이후에도 여기저기 부딪힌 적이 많았고, 혹이 생긴 부위도 자주 부딪히고, 눌리게 되었는데, 그로 인해 혹이 자극받아서 더욱 크기가 커진 것이었다.

파스로도 소용이 없으니 어느 날부터는 부은 부위에 바르는 약도 발라 보았다. 하지만 여전히 소용이 없었고, 엎친 데 겹친 격으로 나는 그 나이 때부터 아토피가 심해지기 시작했고, 왜인지 혹이 난 부위가 매우 가렵게 느껴져서 그곳도 틈만 나면 긁기 시작했다. 긁는 행위에 자극받은 혹은 더욱 크기를 키워 갔고, 색도 일반적인 피부색에서 점점 멍이 난 것처럼 옅게 검푸른 색을 띠기 시작했다. 건드리면 아픈 느낌도 더 세지고 촉감도 더 단단해지는 등 상태가 점점 심각해졌다.

혹의 상태가 날이 갈수록 안 좋아지자 보다 못한 어머니는 나를 데리고 병원을 갔다. 의사 선생님이 증상이랑 혹이 난 원인을 들어보고 내 무릎에 난 혹을 살펴본 뒤, 큰 병원에 가서 엑스레이 같은 걸 찍어보고 정밀한 검사를 받는 것이 좋다고 말했다. 이후 그 병원의 의사 선생님의 말씀대로 큰 병원에 가서 엑스레이를 찍고 정밀 검사를 맡은 결과, 의사 선생님은 어머니께 나의 다리에 난 것이 어떤 이유로 났고, 몸에는 어떤 영향이 있는지를 설명했다. 나는 사실 그 당시에 들었던 작은 병원에서 말한 내 혹의 원인도, 큰 병원에서 말한 내 혹의 원인도 정확히 기억하지를 못한다. 그것에 대해 변명하자면 내가 워낙 말을 잘 못하는 편인 탓에 의사 선생님들이 어머니를 통해서만 얘기하기도 했고, 혹의 원인을 설명하면서 하는 말이 당시 어린 내게는 다소 어렵게 들리는 탓에 흘려들은 것이 컸다. 하지만 결국 내가 내 몸의 건강에 대해 별로 큰 관심이 없었던 것이 가장 큰 이유였을 것이다.

그런데 나는 그렇게 혹의 원인에 대해서는 그냥 흘려들으면서도 내가 편한 것은 골라 들었다. 의사 선생님은 내 질병이 무엇인지, 그리고 얼마나 심각한지를 말씀하시면서 내 혹에 대한 결론을 내려주셨다.

"그래도 당장 크게 문제는 없네요. 생명에 지장을 주는 건 아니니까 나중에 외관상 보기 불편하거나 일상생활에 지장이 생기면 그때 제거해도 늦지 않을 겁니다."

내가 의사 선생님이 했던 말 중에 유일하게 기억하는 것이었다.

나는 그 이후로 그 말만 기억해버렸다. 사실 지금 생각해보면 정말로 저렇게 말씀하셨는지 아니면 내가 편한 대로 왜곡해서 기억했던 건지 자신이 없지만, 어쨌든 그렇게 알아듣고 그것만 믿으며 혹에 대한 심각성을 내려놓게 되었다. 물론 딱히 혹이 사라진 것은 아니니 계속 파스를 바르거나 긁지 않게 아토피 약을 바르는 등의 조치는 계속 취했지만. 딱히 그 이상으로 조심하지도 않았다. 병원에 다녀온 이후에도 나는 자주 부딪히고 다녔으며, 가려운 느낌이 드는 대로 그냥 긁어버렸

다.

간혹 혹의 크기가 조금씩 커질 때 증상이 심각해지는 것 아닌가 하여 걱정하기도 했었지만, 그것도 초반에나 그랬고 시간이 흐를수록 나는 점점 내 혹이 커져가는 것에 대해서도 무덤덤해지게 되었다. 커지는 게 신경 쓰이긴 하지만 어쨌든 죽는 건 아니라니까. 외관상 너무 눈에 띄어서 반바지 같은 거 입을 때 불편하긴 하지만 어쨌든 당장 수술받지 않아도 위험한 건 아니라니까. 물론 수술하는 편이 좋겠지만 수술은 되게 무섭고 아플 텐데, 굳이 당장 생명에 지장이 있는 것도 아니면서 해야 할 필요는 없지 않을까? 게다가 듣기로는 내가 만약에 이 혹을 제거하는 수술을 하게 된다면 전신마취를 해야 된다고 한다. 고작 혹일 뿐인데 전신마취까지 하면서 수술을 받아야 할까? 나는 수술에 대한 두려움과 귀찮음으로 혹 제거 수술을 미루고, 미루고, 미뤘다.

그렇게 대략 7년 동안을 더 혹을 달고 다녔다.

7년이 지나 내가 중학생에서 대학생이 되는 동안 내 혹도 착실히 크기를 키우고 있었다. 분명 처음 봤을 때는 대략 100원 동전 하나 정도의 크기였던 것 같았는데, 어느덧 동전 500원 너비보다도 커져 있었고, 높이도 전보다 훨씬 높아져 무릎보다도 더 솟아 있는 등 옆, 위로

다 크기가 커져버렸다.

그동안 혹을 제거할 생각을 아예 안 했던 건 아니었다. 아무리 내 혹의 크기가 무던해졌던 나였지만 이 정도 크기가 되니 다시금 심각성이 느껴지기도 했고, 나와 달리 늘 내 혹에 대해서 걱정하시던 부모님이 내가 혹을 달고 다니는 꼴을 못 견뎌하셔서 고등학교 올라가면 수술받자, 수능 끝나면 수술받자 등의 얘기가 종종 나왔었다. 하지만 그때마다 시험공부 하느라 바쁘다고, 방학에도 공부해야 한다고, 아직 수술받는 게 무섭다고 계속해서 미뤄지다가 결국 성인이 된 후에도 나는 여전히 무릎 밑에 혹을 달고 있었다. 그쯤 되니 나는 다시 무던해졌다. 뭐, 이 정도로 달고 살았는데도 여전히 멀쩡히 살고 있는 거 보면 굳이 수술 안 해도 앞으로도 괜찮지 않을까?

그러다가 갑자기 날벼락이 떨어졌다. 어느 날 혹에서 뜨끈한 열기가 느껴졌다. 이상해서 만져보니 평소보다도 더 단단하고 아픈 느낌이 들었다. 그리고 걸음을 걸을 때마다 혹 주변을 중심으로 다리가 찌릿하고 아픈 것이 아닌가. 뭔가 심상치 않다는 것을 느끼긴 했지만 당장 병원을 가기에는 학교도 가야 하고, 바쁜 과제도 있고, 여유가 없었다. 그래서 며칠 동안은 그저 파스나 붙이면서 찌릿거리는 상태를 이어가다

한 3일째 되던 날, 나는 걷는 것조차 어렵게 되었다.

아침에 일어나 발을 딛는 순간, 다리에서 통증이 심하게 느껴졌다. 이전에도 발을 디딜 때마다 찌릿하는 통증이 있어 등하교를 부축받으면서 가야 하긴 했었지만, 이번에는 그것조차 너무 힘들다고 느껴질 정도로 상태가 급작스럽게 악화된 것이었다. 어떻게든 무릎을 굽혔다 폈다 해보려고 시도를 해봤지만 자세를 조금만 바꾸기만 해도 다리가 찢기는 듯한 고통이 오는 바람에 나는 아무 곳도 움직일 수가 없었다.

상태가 너무 심각하여 그날은 부모님의 부축을 받으며 바로 근처 병원에 가서 검사받았다. 내가 이해한 의사 선생님이 본 내 상태는 다음과 같다. 혹을 이 병원에서 당장 가르고 고름을 뺄 수는 있으나 그러기 다소 곤란한 상태이다. 그 이유는 내 혹에 균이 뭉쳐 있기 때문이란다. 자주 부딪히는 거나, 특히 아토피 때문에 가렵다고 자주 긁으면서 균이 들어온 게 원인이라는 것 같다. 지금 상태를 해결하려면 당연하게도 당장 혹을 제거해야 하지만 혹을 가르면서 균이 몸 전체로 퍼질 수 있어서 위험해질 수 있기 때문에 이 병원이 아닌 큰 병원에 입원하고 수술받는 것이 좋다고 한다.

내 혹에 관해서 알아들은 것은 이게 전부다. 나는 이번에도 의사 선생님의 말을 제대로 알아들을 수가 없었다. 다만 어렸을 적에는 단순히 관심이 없어서 흘려 들었기 때문이라면, 이번에는 내 상태가 너무 당황스럽고 눈앞이 깜깜해지는 느낌이어서 제대로 집중할 수가 없었다.

그 직후 나는 바로 근처 대형병원에 입원하게 되었다. 수술 날짜가 언제 잡힐지 몰라 당시 수강하고 있던 수업의 교수님들께 미리 장기간 결석하게 될 것 같다는 메일을 보내고, 몇몇 예정되어 있던 팀 과제에서도 미리 하차하게 되었다. 그리고 나는 입원용 침대에 누워서 가만히 검사를 기다리면서 가만히 생각했다. 아직도 입원이 실감 나지 않았다. 갑자기 걸을 수 없게 되고, 학교도 못 가게 되고, 그리고 수술을 받으러 병원에 입원해야 되고. 이게 하루아침에 일어난 일이라는 게 도저히 믿어지지 않았다. 예전에도 발목의 인대가 늘어나거나 얼굴에도 혹 비슷한 게 작게 생겼던 적이 있지만 시간이 지나면서 자연스럽게 낫거나 바로 수술받는 것으로 해결이 가능했었다. 그때는 그때가 내 인생에서 제일 심각하게 아팠던 순간이라고 생각했었는데, 내 몸 상태가 이렇게 심각해지라고는 생각도 못 했었는데... 당장 죽는 것도 아닌데 수술 좀 더 미뤄도 괜찮지 않냐니, 생명에 지장 없는데 굳이 안 해도 되냐니, 정말 안일한 생각이었다.

다행히 수술 날짜가 바로 다음날로 잡혀 혹을 빨리 제거할 수 있게 되었지만, 혹이 제거되면서 균이 퍼질 수도 있기 때문에 꾸준히 치료를 받으면서 당분간 지켜보는 과정이 필요하다고 했다. 결국 나는 2주간 더 입원치료를 받았다. 입원하는 동안 거의 무기력하게 지냈던 것 같다. 다리가 불편하니 오래 돌아다니지도, 멀리 돌아다니지도 못하고, 음식도 잘 안 들어가다 보니 몸에 기운도 없어졌다. 몸에 무거운 추를 단 것처럼 힘이 안 생겼다. 이상하게 수술은 무사히 마쳤는데도 아직도 병에 심하게 걸린 사람이 된 것 같았다. 그렇게 우울하게 지내다 보면 문뜩 당장 큰일 날 것 없다는 말만 생각하고 조심도 안 하고 수술도 미루던 과거의 내가 떠올라 괜히 나 자신이 미워졌다.

혹은 수술을 받으면서 사라졌지만 그것이 존재한 흔적은 사라지지 않고 남았다. 그것도 여러 부분에서. 하나는 당연히 수술자국이다. 수술한 부위의 상처는 아물었지만 그 부분을 가르고 다시 봉합한 흔적은 수술한 지 1년이 넘은 지금도 여전히 선명하게 남아 보인다. 큰 수술은 처음이라 잘은 모르지만 주변에 수술한 사람들의 경우 몇 년이 지나도록 수술자국이 남아 있는 것을 보면 내 수술자국 역시 몇 년은 계속, 어쩌면 영영 남아있을지도 모른다. 또 한편으로 나는 원래도 감기 같은 잔병치레가 잦긴 했지만, 수술 이후 그 빈도수가 훨씬 잦아졌다는 느낌이다. 입원하면서 거의 누워서 지낸 만큼 체력도 전보다 훨씬 떨어지고 면역력도 훨씬 약해졌다. 아무리 치료를 받았다지만 건강 문제가 한 번 심각하게 터지면 그 이전으로 돌아가기란 힘든 일이다.

하지만 어쩌겠는가. 아무리 그게 힘들다 해도 내가 살아있는 이상, 내가 계속 삶을 이어가는 이상 어떻게든 나아지려고 노력하는 것이 당연하지 않겠는가. 나는 다리에 문제가 생겨 수술을 받은 만큼 수술 직후에 가장 재활이 필요한 부분이 바로 걷는 것이었다. 나는 걸음마부터 다시 배워야 했다. 건강이란 게임에서 게임오버 돼서 다시 처음부터 플레이하는 셈이었다. 그래도 다시 꾸준히 걸으려고 한 끝에 나는 다시 평범하게 걸을 수 있게 되었다. 건강이 무너져서 다시 기초부터 잡아야 하는 수준이라면, 그래도 포기하지 말고 묵묵히 기초부터 다시 쌓는 것이다. 나는 그러니까 지금 리플레이를 누르고 처음부터 다시 시작한다. 다시 건강한 상태에 도달하기 위해서.

TIP! 모름지기 건강이 제일이며, 건강이 무너지면 다른 것도 다 무너진다.

재시작이 불가능한

#상처 #지난_관계에서의_후회

New Quest !

재시작이 불가능한

이미현

오랜 친구에게 전화 한 통이 왔다. 시험이 끝난 어느 날에 갑자기 들려온 부고였다.

***

어렸을 적에는 가까운 사람의 죽음에 대해서 전혀 생각해 본 적이 없었다. 나는 너무 어렸다. 당연히 내 주변 사람이라면 오래 살 것이라는 착각, 그래 그 착각 아래에서 숨을 쉬어왔던 것일지도 모른다. 비록 장례식장을 가본 적도 몇 번 있었지만, 주로 먼 친척의 부고에 별 감흥도 없었다. 사실 먼 친척이라고 생각해와서가 아니라 어려서였을지도 모른다. 다시는 볼 수 없게 되었다는 것. 단지 그것만이 내게 다가왔다. 외삼촌이 돌아가시던 날에도, 어린 나는 어머니께 투정을 부렸다. 지금 생각해 보면 당연히 어리석은 일이었다. 어쩌면 이게 주인공 중에 아주 어린 등장인물이 나오지 않는 걸지도 모른다.

그걸 가장 먼저 느낀 것은 15살, 중학교 3학년 때의 어느 여름이었다. 아버지는 긴 출장으로 뵙지 못한지 조금 되었고, 어머니와 언니, 둘이서 있었다. 나는 중학교 때만 해도 엄청 성실한 모범생이었다. 학교에서는 똑똑하고 선생님들 사이에서는 이미지가 좋은 그런 사람이었다. 나는 노력하는 사람이었다. 당연히 내게 시험은 엄청 중요한 일이었다. 단순히 중학교 시험에 중요라는 이름까지 붙여가며 준비했으니까.

시험 보름 전쯤, 어머니께 한 통의 연락이 왔다. 할아버지께서 병원에 입원하셨다는 연락이었다. 그리고 이 연락을 받고 나서 보름 뒤에, 할아버지는 하늘에서 가장 빛나는 별이 되셨다. 그렇게 중요하던 시험도 할아버지의 죽음 앞에서는 그렇게 중요하지 않은 것처럼 느껴졌다.

정신이 하나도 없었다. 믿고 싶지도 않았다. 시험을 보던 날 할아버지께 마지막 인사를 드렸을 때, 할아버지 손을 붙잡고 인사를 드렸다. "시험 보고 금방 올 테니까 조금만 기다려주세요." 산소호흡기로 겨우 호흡하시던 할아버지 손의 온기가 나보고 안심하라고 하시는 것만 같았다. 이번에 공부한 만큼이나 잘하고 올 걸 아니까, 잘하고 돌아올 거라고 믿어주시는 것만 같아서, 급하게 밖으로 나왔다.

8시 50분까지 도착하라는 말에도 불구하고 8시 55분에 도착한 나를 보고는 선생님께서는 할아버지는 괜찮으시냐는 이야기만 하시고는 편하게 시험을 볼 수 있게 신경 써주셨다. 울음이 나올 것 같았지만, 힘내야 했다. 할아버지께서 날 믿어주실 테니까. 난 이것이 마지막임을 알면서도 부정했다.

시험 도중에는 마음이 차분해졌다. 비가 많이 오던 하늘에 천천히 해가 드리웠다. 하늘은 비의 흔적을 지우고 온통 말갛게 세상을 폈다. 바쁘게 시험을 보고 나오면서도, 괜찮아지셨을 거야, 머릿속으로 불안함을 한참 지웠다. 답을 서로 맞춰보는 친구들 뒤에서 나는 이미 푼 시험지만 멍하니 바라봤다. 그 회색 종이를 한참 바라본다고 하더라도 그 어떤 답도 받을 수는 없을 텐데. 나는 하염없이 그 종이만 바라봤다. 친구들은 그런 내가 신경 쓰였는지 계속 말은 걸었지만, 나는 창밖이 자꾸 신경 쓰이는 날이었다. 그리고 내가 모르는 사이에 할아버지의 부고는 이미 선생님께 전달된 후였다.

식사를 마치고 친구들과 급식실을 나오며 우스갯소리로 할아버지 괜찮아지셨을 거라며 웃었다. 그러지 않으면 많이 울 것 같아서. 그리고 막상 들은 소식에는 큰 울음이 나오지 않았다. 걸어가면서 울컥하는 마음에 찔끔 눈물을 흘렸지만, 나는 많이 울지 않았다. 울 수가 없었다. 그냥 그런 생각이 들었다.

그러고부터 3일의 아주 긴 장례식이 시작됐다. 친척들의 얼굴을 보고 새벽을 지새우기도 하고. 가장 기억에 남는 것은 언니와 번갈아 할아버지 빈소의 향불을 지킨 것, 그리고 입관식이었다. 많이 울고 힘들어했지만 내 앞에는 더 힘들 사람들이 있어서, 나는 소리 없이 울었다. 할머니도, 아버지도 너무나 걱정됐다. 나는 그 순간이 하나도 빠짐없이 머리에 박혔다.

아직도 가장 기억에 남는 것은, 할아버지와 맞잡았던 손에 있던 온기가 다 달아난 순간이었다. 입관식의 그날 할아버지를 마지막에 뵙고 인사를 드리던 때, 손을 뻗어 할아버지의 팔을 잡았지만, 그 온기는 온데간데없었다. 더 이상 따뜻하지 않았다. 사람의 팔을 붙잡고 있는 것 같지 않았다. 내가 붙잡고 있는 것이 사람이 아니라 고무 인형 같았다. 기다려주신다면서. 그래서 손도 맞잡아주셨으면서. 그런 생각을 하며 울음을 삼켰다. 그때 느낀 것은 누군가가 죽고 난 자리에 남는 온기는 누군가가 흘린 눈물이 가진 온기라는 것이었다. 하지만 죽은 이는 그 온기를 느낄 수도 없으니. 너무 야속했다.

이렇게 빨리 떠나실 줄이라도 알았더라면 단 한 번만이라도 할아버지께 사랑한다고 말할걸. 단 한 번 더 손을 맞잡아볼걸. 할아버지의 장난에 한 번이라도 웃으면서 받아볼걸. 무섭다고 도망치지 말걸. 할아버지에 대한 회한에 가족이 없는 곳에서, 가족이 다들 잠든 시간에 혼자 공부하며 울었다. 나는 남은 자들의 후회와 바보 같은 회한을 배웠다. 마지막 인사가 금방 돌아올게요가 아니라 '할아버지 사랑해요'였다면 이런 후회도 남지 않았을 것이다. 내 삶에서 가장 주인공 같은 사람이 떠난 날에, 하나의 등장인물로서만 남게 되었다. 내게 가장 쓴 게임 오버, 아니 게임 아웃이었다.

최근 몇 년 동안 나는 몇 번의 장례식을 봤다. 악인의 앞에서 무릎 꿇고 우는 사람도 있었고, 좋은 사람의 죽음을 조롱하는 사람도 있었다. 주변인이라고 하여 다 같은 것은 아니었다. 죽음의 무게가 모든 사람에게 같은 것은 아니었다. 어떤 장례식에서는 아무 생각 없이 밥을 먹고 공부를 하기도 했다.

한 편, 어떤 장례식에서는 아무런 감정 없이 원망하던 사람의 영정사진을 하염없이 멍하니 바라보았다. 어색함과 조금의 원망, 그리고 아주 조금의 안타까움을 느꼈다. 내게 이런 감정을 느끼게 한 그 사람은 나에게 큰 상처를 준 사람이었지만, 죽는 그날까지 원망할 수는 없었다. 아니, 원망의 목소리가 어딘가 턱 막힌 것처럼 막혀서 나오지 않았다. 나에게 그 사람은 되돌릴 수 없는 상처이자 증명이었는데, 내가 증명하기도 전에 떠난 사람을 보면서 허망하게 바라봤다.

그 사람은 그런 의도가 아니었다고 하더라도 나는 가슴 한가운데에 구멍을 안고 살았다. 나는 우리 집안의 둘째이다. 내 위로는 언니가 하나 있고, 아래로는 친척이 둘이 있다. 그리고 그 사람은 친척 둘의 할아버지셨다. 어렸을 때는 그분이 많이 예뻐하셨던 기억은 있었으나, 내가 중학교에 들어가자 언니와 비교당하는 일이 자주 있었다. 단지 언니보다 뛰어나지 못하다는 이유로 인사를 무시당한 적도 있었다.

또, 가부장적인 집안 분위기에 친척 동생이 아들이라는 이유로 치켜세워졌다. 그에 비해서 우리는 딸만 둘이라서 조금은, 무시당하는 기분도 들었다. 단지 내 성별이 여자라는 이유로 무시당해야 하는지. 친척들끼리 모이면 반드시 나오는 이야기였지만, 기분이 썩 좋지 않았다. 나한테도 단 한 번이라도 다정한 말이나 노력했다, 혹은 딸이라도 괜찮다는 말을 주셨다면 좋았을 텐데.

그런 사람이 돌아가셨다. 나는 그분께 내가 이만큼이나 해낼 수 있다고 제대로 증명 한번 하지 못했는데. 허망한 동시에 서러움이 몰려왔다. 뛰어나신 분이었지만, 그 와중에도 이걸 원망이나 하고 있는 내 모습이 너무 싫었다. 나는 하나도 변한 것이 없이, 어린 모습으로 그대로 몸만 커버렸구나. 아직도 나는 13살, 그 사람에게 상처받은 날에 시간이 멈춰 있구나. 정말 바보 같았다. 그래서 그 영정사진만을 10분 정도 빤히 바라봤다. 원망을 할 수 없었다. 죽음의 무게에 죽음이 아닌 다른 무게가 그 자리를 차지했다. 나는 그 감정에 다시는 이름 붙일 수는 없을 것이다. 이름 붙인다고 해서 달라지는 것도 없겠지만.

그로부터 큰 시간이 지나지 않았다. 시험을 마치고 집으로 돌아가던 와중에 가장 오래된 친구에게 연락이 왔다. "미현아, 어제 율하가 죽었어. 우리, 지금까지 몇 번 생각해오던 일이잖아." 맞다. 나는 그 친구가 떠날 것을 몇 번이고 걱정도 해보았고, 그 말에 무서워서 도망도 쳐봤었다. 나한테는 애증이었던 동시에 상처인 친구는 내 하늘에서 가장 푸른 별이 되었다.

사실 우리는 그다지 좋은 사이는 아니었다. 좋은 사이였지만 율하는 너무 힘든 일이 많았고, 나는 이걸 도우려다가 오히려 상처만 받았다. 그 친구가 나에게 수없이 내뱉은 말들이 심장에 꽂혀서 너무 아팠던 날도 있었다. 나는 열감기가 오듯이 자주 우울한 마음이 파도쳤고, 율하의 말은 그런 나에게 너무 숨 막혔다. 언젠가는 사과를 받고 싶어서, 그런 마음으로 그 곁에 있었다. 어느 순간 그런 내 행동이 바보 같게만 느껴지기 전까지. 나는 내 나쁜 과거와 마지막 인사를 하고 떠나

보내던 날, 그 아이에게 솔직하게 인사하고 연락을 두절했다.

그리고 그 인사를 전하고 9개월 후, 그 아이가 죽었다. 사인도 어떤 일이 있었는지도 듣지 못했다. 단지 그 아이의 사정만을 알고 있었다. 나는 그 연락을 받고는 제대로 울지도 못하고 떨리는 손으로 가족에게 카톡을 보냈다. “율하가 죽었대요. 그래서 저 내일 장례식장에 다녀와 봐야 할 것 같아요.”

하지만 장례식장에 가지 못했다. 시간에 착오가 있어서 가지 못했고, 발인 날에라도 보려고 했지만, 학교에 일이 있어 가보지도 못하고 친구에게 대신 조의금을 전달해달라고 말했다. 나는 사실 실감나지 않았다. 아직 젊은 나이니까. 나랑 또래니까. 해봤자 내 친구들이랑 동갑이니까. 죽었을 리 없다고 생각했다. 이 긴 게임은 원래라면 평균 80년 동안은 플레이하는 게임이다. 하지만 내 친구는 20년이 된 날, 스스로 그 게임을 잘라내곤 푸른 별로 자리 잡았다. 더 이상 돌아오지 못할 하늘에서 빛만 낼 뿐 어떤 답도 하지 않았다.

학교가 끝나고 아버지의 도움으로 율하, 네가 잠들어있는 곳을 찾아갔다. 나는, 사실 울지 않을 줄 알았는데, 네의 유골함을 보고 그 자리에서 눈물이 나왔다. 그 순간 몰아치는 감정에서는 알면서도 어색한

향이 났다. 작은할아버지께서 돌아가시던 그날 겪어보았던 이름을 붙일 수 없는 감정에 더불어 그 아이가 만들었던 상처에서 피처럼 후회가 흘러나왔다. 나는 왜 그 친구의 말을 들으려 하지 않았을까. 왜 괜히 도망쳐서 너희에게 이런 상처를 주었는가.

나는 너에게 상처를 받았다는 말을 절대 할 수 없었다. 이상하게도 빛나는 분홍색 유골함의 주변을 둘러보아도, 너처럼 이른 나이에 죽은 사람은 없었다. 나는 너의 죽음을 도망으로 방관했다. 원망하지 않아도 알고 있었다. 나는 너를 원망할 수 없는 처지에 있었다. 단지 그저 변명을 하고 싶었던 것이다. 그냥, 나도 힘들어서 너의 이야기를 듣기 싫었노라고. 언젠가 네가 나한테 했던 말처럼 말이다. 나는 그 말에 수없이 상처받고 힘들어했음에도 나는 그 친구에게 그 말을 그대로 돌려준 것이었다.

하지만 되돌릴 수 없는 일이었다. 네가, 율하가 나에게 상처를 준 것은 맞았지만, 나조차도 절대 잘한 것은 아니었다. 나는 그런 복잡한 마음에 어느 밤을 지새웠다. 또다시 게임 오버 되고 말았다.

나는 게임을 자주 한다. 즐겨 하는 게임은 RPG이지만 친구들과 즐겨 하는 게임 중 한 장르는 '로그라이크'였다. 내가 하는 게임은 죽으면 아무것도 되찾을 수 없고, 처음부터 다시 해야 한다는 특징을 가졌다. 죽음은 내가 가진 모든 것을 앗아갔다. 내 노력으로 해낸 것들, 쌓아온 일들, 그리고 내가 이겨낸 일들이 모두 처음으로 되돌아간다. 이걸 가지고 다시 시작할 수는 없다. 친구들과는 이 점을 통해서 서로 깨는 방법에 대해서 논의하기도 했다. 이 게임에서는 죽으면 끝이었기 때문이었다.

현실에서도 죽으면 모든 것이 끝이었다. 이승을 떠날 때는 아무것도 가지고 떠날 수 없었다. 하지만 다시 시작할 수도 없었다. 모든 것이 끝나고 죽음을 맞이하면, 그 뒤에는 남은 사람의 몫이었다. 로그라이크에서 주인공이 죽고 나면 그 어떤 것도 다 두고 처음부터 시작이지만 그것이 평행세계라면, 주인공이 목숨을 잃고 사라진 세계의 주변인은 이걸 보고 어떤 생각을 할까.

나는 그 자리에서 주인공이 사라진 세계의 뒷이야기를 바라보게 되었다. 다시 시작할 수도 없는 처참한 게임에서는 주인공이 사라져도 스토리는 이어졌다. 수많은 주인공이 죽어도 또 다른 수많은 주인공이 새로운 이야기를 쓴다. 하지만 주변인의 시간은 마치 그곳에서 멈춘 것만 같았다. 주변인들에게는 그 주인공의 이름을 한 로그라이크가 끝이 난 것이었다.

나는 가기 싫어.

이 층계를 오르고 다시 돌아온 사람은 아무도 없잖아.

위 시는 내가 자주 하는 로그라이크 게임에서 대사로 나오는 메리 호위트의 동시 <거미와 파리>라는 시이다. 내용은 거미가 파리를 잡아 먹기 위해 파리를 유혹하는 내용으로, 결국은 거미가 파리를 먹는 데에 성공하고 만다. 결국 사람도 죽음이라는 것에 홀라당 잡혀버린다. 죽음은 계속 곁에서 이쪽으로 올 걸 알고 손짓하고 사람들은 그 죽음을 밀어낼 수 없다. 어느 순간 곁에 있는 녀석은 끝까지 우리를 데려가려고 안달이다. 로그라이크에서의 죽음처럼, 내가 언제 죽을지, 어떻게 사라지게 될 것인지, 아무것도 알지 못한 채로 우리는 삶이라는 긴 여행을 떠나고, 게임에 인용된 시처럼 죽음에게 잡혀가 아무것도 가지고 떠나지 못한다.

내가 게임 오버 되면서 '아, 이렇게 하면 더 좋은 결과를 가져왔을 텐데 하며 후회하고는 한다. 그렇지만, 다시 되돌이킬 수 없이 생판 처음으로 돌아가야만 한다. 하지만 누군가의 죽음 앞에서는 나는 처음으로 이를 되돌이킬 수도 없었다. 그렇게 할걸. 그 말을 하면서도 다시 돌아오지 않을 것을 슬퍼한다. 그냥 떠나버린 것을 바라보면서 허망하게 바라볼 뿐이었다. 아주 오래, 그것도 긴 시간 동안. 내 로그라이크 게임은 재시작이 되지 않는다.

[퀘스트 보상] **Don't Starve(2012)**

진정한 몽상

#잔혹한_다정 #불러오기_오류

New Quest !

진정한 몽상

정유리

네가 어디서든 행복했으면 좋겠어.

눈매도, 머리 스타일도, 손톱의 모양도, 목소리의 톤도 그리고 그 외 다른 모든 것들도 내게 알려주지 않았던 자가 그리 말했다. 얼굴 없는 천사, 비정하게도 그는 내게 그런 존재였다. 그는 언제나 잔혹할 정도로 다정했다. 다정한 걸 넘어 그 마음을 동그랗게 치켜뜬 눈처럼 해서는 내 가슴에 깊이 쑤셔박았다.

내가 어디서든 행복했으면 좋겠다고? 너도 알겠지만, 나는 그 말을 듣고 며칠 밤을 울며 지새웠어. 그리고 그건 내가 흘렸던 눈물 중 가장 혼탁했어.

그에게로 보내는 다이렉트 메시지는 꼬박 이 년째 '전송 실패'다.

우리는 수은(水銀)이었다. 단단해 보이면서도 물처럼 부드럽고, 물처럼 부드러워 보이면서도 절대 투명해질 수 없었다. 최선을 다해 끌어안아봤자 밀고 당김이 전도되어 갈 뿐이었다.

있잖아, 나 조금은 너를 사랑하는 것 같아.

61

그저 조금만 사랑해?

감정에 몰두하다 보면 형체도 없던 그 위를 힘차게 내달리는 것처럼 되어버려.

응. 있잖아, 우리 조금은 서로를 사랑하는 것 같아.

당장 떠올릴 수 있는 모든 연인의 대화는 전부 우리의 것이었고, 우리는 한 부분이 손상되면 다른 한 부분의 의미도 망가지기 시작하는 겹문장이었으며, 타오르지 않되 꺼지지도 않는 촛불과도 같았다. 좋아한다는 말에는 사랑한다는 말로 화답하지 않고서야 버틸 수 없었다.눈매도, 머리 스타일도, 손톱의 모양도, 목소리의 톤도 그리고 그 외 다른 모든 것들도 내게 알려주지 않았던 자는, 아무런 덧칠도 하지 않은 깨끗한 손으로 중단발의 머리카락을 빗어 넘기며 눈으로는 자주 호선을 그렸다. 그 모습을 나는 자주 망상하고, 몽상하고, 감상했다. 연락하고 있던 상대의 사랑스러움이 가끔은 연락 수단마저도 사랑스러워 보이게끔 만든다는 사실을 그는 정녕 몰랐을 것이다.

우리는 동성(同性)이었다. 같은 게임, 같은 영화, 같은 애니메이션, 같은 소설을 넘어 같은 성별과 같은 마음을 지니고 있었다.

우리가 탄 배가 하나의 게임이라면 너는 1Player, 나는 2Player.

한 명이라도 도망친다면 일시 정지야, 기억해.

코인은 들어갔고, 사랑은 원 코인 클리어[5]외에는 답이 없었다. '실패 없이, 단 한 번에'가 핵심인 원 코인 클리어만이 사랑이라고 믿었다. 그 미묘한 중독성, 그라면 잘 알고 있었을 것이다. 우리가 함께 즐겼던 게임이 몇 개였는데. 그 정도는 기본이었다. 그래서 그렇게나 지독하고 간절하게, 비참하고 구질구질하게, 진득하고 아름답게, 결국에는 고결하고 참하게 마음을 표현하는 매일이 되어버릴 수밖에 없었던 것이다.

그때 내게 주어진 선택지는 오직

▶ 사랑

사랑

사랑

사랑

그리고

63

그 선택을 후회하십니까?

▶ 아니오

아니오

뿐이었다.

저돌적인 마음은 다시금 생각하면 공포스럽다. 브레이크를 제 손으로 떼버리고 아득바득 씹어 먹으며 그것을 과시하면서도, 사랑스러운 상대와 사랑 그리고 사랑하는 나에 심취해버린 내가 만난 것이다. 그렇기에 내가 선택한 모든 선택지는 사랑이었고, 모든 사랑을 후회하지 않았다.

그러나 게임 내 선택지는 제작자와 플레이어의 약속이다. 적힌 그대로 인식하고 판단하겠다는 약속을 깨버린 플레이어는 제작자가 의도하는 대로 게임을 즐길 수 없게 된다.

원 코인! 사랑에도 제작자가 있냐고 묻는다면, 그건 우리였고 사랑에도 플레이어가 있냐고 묻는다면, 그건 나였다.

렌즈를 아무리 벗기려고 해도 벗겨지지 않았다. 긁어버린 것은 투명한 각막이었고, 고통마저 잊은 채 혼탁한 눈물만을 흘렸다. 지금은 이유도 기억나지 않은 사소한 것에 질려, 그를 먼저 벗어났다. 그가 매일 같이 적어준 편지를 보며 울고 웃기란 반복되는 일과였기에, 그것을 착실히 수행했다. 동시에 나는 자신을 (알 수 없음)으로 만들었다. 떨리는 손으로 그에게 전화를 걸었으나 그 무엇도 연결되지 않았다. 그럼에도 외쳤다. 부정당한 것은 사랑이 아니라 나 자신이야! 사랑은 가끔 기생충 같지.

갤러리의 '오늘의 추억' 따위의 앨범은 끝끝내 지우지 못했다. 우리는 수은, 우리는 동성, 우리는 겹문장이니 내게서 그를 지우면 남아버린 나는 타들어간 살갗을 짓이기고 벗겨낸 쥐새끼에도 미치지 못할 것이었다. 실제로 그랬다. 사랑은 내 모든 것을 태웠다. 사랑하기 전으로 돌아가고 싶어. 불안감에 젖은 나는 종종 그에게 그런 말을 했었다. 그럴 때마다 그는 나를 '심약자'라고 부르며 웃었다.

몇 년 전의 대화에 머물러 있는 메신저 창에 무언가 다시 입력해 보았다. 저장한 것이 없어 불러올 수도 없는 것을 불러오고자 가상 키보드를 빠르게 두드렸다. 반응이 없었다. 마음을 다스리는 데는 꽤 시간이 걸렸다. 화면은 꺼진 지 오래였고, 나는 그런 화면을 검은 키보드로 착각하여 두드리고 있었다는 사실을 뒤늦게 깨달았다. 검게 물든 화면은 두드려 봤자 아무런 대답을 주지 않는다는 건, 그가 말해주지 않았다.

게임에는 '로그라이크'라는 카테고리가 있다.저장 및 불러오기가 불가능해, 매 순간의 선택이 매우 중요한 점이 특징이다. 대표적인 로그라이크 게임 중 하나인 <아이작의 번제 The Binding of Isaac>에 등장하는 어린 소년과 나는 다정한 관계였다. 하지만 그처럼 찢어진 폴라로이드 사진 한 장을 들고 안정을 찾아다니며 울어봤자, 그 사진을 원래대로 되돌릴 수는 없다. 사진을 새로 찍지 않는 이상, 그 손에는 찢어진 폴라로이드 사진 한 장만이 남아있을 뿐이다. 영원히.

하지만 너는 알잖아. 나는 우리를 두고 처음으로 돌아갈 자신이 없어. 너는 알잖아. 너만은 알잖아. 게임 진행 과정이 고정돼 있는 아케이드 게임과는 달리 로그라이크 게임은 재시작할 경우 이전의 진행과는 전혀 다른 '새' 게임이 만들어진다.

사랑은 원 코인 클리어가 강요되는 아케이드 게임 따위가 아니라, 로그라이크 게임이다. 내게 보였던 선택지는 그가 제작자로서의 부담을 홀로 끌어안고 보여준 진정한 몽상이었다. 1Player와 2Player가 아니라 불도저와 바리게이트였다. 우리는 동성이었지만 서로 다른 게임을 하고 있었다. 지금에야 알았다고는 해도 꼬박 이 년째 '전송 실패'

다. 내가 나를 부정하는 것 외에 무엇을 할 수 있나.

네가 어디서든 행복했으면 좋겠어.

눈매도, 머리 스타일도, 손톱의 모양도, 목소리의 톤도 그리고 그 외 다른 모든 것들도 내게 알려주지 않았던 자가 그리 말했었다. 얼굴 없는 천사, 비정하게도 그는 내게 그런 존재였었다. 그는 언제나 잔혹할 정도로 다정했었다. 다정한 걸 넘어 그 마음을 동그랗게 치켜뜬 눈처럼 해서는 내 가슴에 깊이 쑤셔박았었다.

그래, 네가 어디서든 행복했으면 좋겠어. 오직 너만이.

[퀘스트 보상] The Binding of Isaac(2011)

? 여기서 잠깐 !

#로그라이크

로그라이크는 1980년에 출시된 게임 《Rogue》와 유사한 시스템과 특징을 가진 게임들을 총칭하는 장르다.

일반적으로 플레이어가 던전을 탐험하고 몬스터를 처치하며 나아간다.

가장 보편적인 특징은 다음과 같다.

1. 무작위 생성: 던전의 지형과 구조, 아이템 등이 매번 무작위로 생성되기에 매번 새로운 탐험이 가능하다.

2. 영구적 죽음: 캐릭터가 죽으면 그대로 게임이 끝난다. 그때까지의 모든 진행 상황을 잃고 처음부터 다시 시작해야 한다.

오해를 풀 타이밍

#오해 #소문의_과장

New Quest !

오해를 풀 타이밍

오소영

리듬게임에서 타이밍이 조금이라도 어긋나면 콤보[6]가 깨지는 것처럼 타이밍이 중요한 순간이 많은데, 오해를 푸는 데 있어서도 타이밍은 참 중요하다. 리듬게임에서 늦게 눌러버리면 miss가 뜨는 것처럼 오해를 풀 시기를 놓치게 되면 나를 제외한 다른 사람들에게는 그 오해가 진실이 되어 버려 곤혹스러운 상황에 처하게 된다. 반대로 조급한 마음에 빨리 쳐도 miss가 뜨는 경우가 있듯, 너무 빨리 해명하면 오히려 변명하는 모양새가 되거나 정정해 준 사실을 까먹게 되어버리는 수가 있으니 여간 곤혹스러운 일이 아니다.

오해에 있어서 사람들은, 특히 어린아이들일수록 자신이 들었던 사실에 대해서 왜곡시켜 기억하고 전달해버리는 정도가 심하다. 만약에 내가 손목이 삐어서 학교를 결석하게 되면 몇 주 뒤 내가 다쳐서 학교를 못 나왔다는 사실을 기억하는 어떤 아이는 나에게 "그러고 보니 팔이 부러졌던 건 괜찮아?"라는 질문을 할 수도 있는 것이다. 시간이 흘러 나중에 그 아이가 이때를 회상할 때는, 심지어 내가 팔에 깁스를 매고 등교했다고 기억할지도 모른다. 또한 어떤 아이는 자신의 친구들에게 사실은 본인이 내가 손을 다치는 순간을 직접 목격했으며, 그 광경은 내가 어떤 친구와 싸우다 손을 맞은 것이라고 말할 수도 있다. 비록 실제로는 내가 무거운 책을 옮기다가 손목에 무리가 간 것이라고 해도 말이다. 내가 이런 상황 속에서 이 오해를 풀기 위해서는 적절한 순간에 적절한 상황 속에서 사실을 정정해주는 것이 필요한데, 그것이 과연 쉬운 일이겠는가.

이런 어린아이들의 악의 없는 사실 왜곡은 소심한 사람에게는 더욱 치명적인 것이, 소심한 성격에 삶의 경험도 적은 아이는 그 소심한 성격 탓에 우물쭈물거리다가 오해를 해명할 타이밍을 놓쳐버리기 때문이다. 내 경우도 그렇다. 초등학교를 입학할 때부터 유난히 내성적이고 겁이 많은 성격이었고, 지금 역시도 옛날과 별반 다르지 않은 소심한 성격인 나는 초등학교, 중학교를 다닐 때 나에 대한 어떤 잘못된 정보가 돌아다니고 있었을 때 그것을 바로잡을 적절한 타이밍을 잡지 못하고 우물쭈물하다가 결국엔 나에 대해서, 나 자신으로서는 어처구니없는 사실이 살을 불리며 커져가는 것을 지켜보기만 해야 했던 기억들이 있다. 이들 중 가장 기억에 남는 사건이 있었는데 이 사건의 시작은 내가 갓 학교에 입학한 초등학교 1학년이었을 적이다.

내가 갓 초등학교 1학년이었을 무렵, 그 나이대 아이들은 주변 아이들의 사소한 콤플렉스를 한번 발견하면 정말 집요하게 놀려대곤 했다. 언젠가 내가 한 번 급식으로 나온 우유를 잘못 삼키다가 뿜었을 적에는 그 이후 근 한 달간 나는 우유를 마실 때마다 아이들로부터 '우유 흘리개'라며 비웃음을 받아야 한 적도 있었다. 안타깝게도 나는 이 때보다도 더 어린 유치원 시절부터도 또래 아이들보다 잘 덤벙대고 칠칠맞지 못한 성격에 겁도 많아서 이렇게 어수룩한 아이를 놀리는 아이들로부터 집중 타깃이 되어 버리고 말았다. '우유 흘리개'란 놀림이 끝나갈 무렵에는 아이들이 나의 또 다른 콤플렉스에 주목하게 되었는데, 그건 바로 나의 계단 공포증이었다. 나는 원래 높은 곳을 무서워하는 고소 공포증이 있는데, 아주 어릴 적에는 계단 내려가는 것조차 무서워하는 수준이었다. 하지만 대부분의 아이들은 계단 오르내리는 것 정도야 그 나이대가 되면 당연하게 되는 것이었고 그들에게 있어서 계단을 무서워하는 나의 모습은 나잇값을 못하는 우스운 모습이었을 것이다. 그래서 나의 계단 공포증은 같은 반 아이들 사이에서 새로운 놀림감으로 전락하고 말았다.

그런데 그 즈음에는 시간이 어느 정도 흘러서인지 그들 나름의 내면의 성장을 했던 아이들도 몇몇 생겼다. 그들은 더 이상 나의 콤플렉스에 대해서 놀림거리로 삼기보다는, 동정의 시선으로 나를 바라보기 시작했다. “계단이 무섭다니 많이 힘들겠구나 어떡해.”와 같은 반응을 보이며 나의 계단에 대한 공포에 대해 공감을 해주거나 내가 계단을 내려갈 때 손을 같이 잡아주면서 내가 무섭지 않도록 도와주거나 등의 호의적인 반응이 늘게 되었다. 혹은 “계단이 많이 무섭나 보구나. 분명 안 좋은 일을 겪었을 거야.”라며 나의 공포심이 그럴만한 이유가 있다고 생각하는 반응을 보이기도 했다.

사실 내 계단 공포증은 어떤 사고를 당했다거나 등의 명확한 사건이 있음으로부터 비롯된 것이 아니라서 엄밀히 말하자면 사실이 아닌 추측이긴 하다. 그래도 당장으로서는 사실로부터 많이 동떨어진 말은 아니고, 어쨌든 나를 걱정해주면서 나온 생각이었기 때문에 나로서는 그러한 말이 나오게 돼도 굳이 사실을 정정하지 않고 흘려보내는 것을 선택했다. 또한 그 분위기에 동조한 것인지 내가 계단을 무서워하는 것을 두고 놀림거리로 삼던 아이들도 서서히 줄어들기 시작하여 어느샌가 놀림을 받지 않게 되었으니까 나한테는 이런 시선이 나름 달가웠었다. 하지만 훗날 생각해보면 어쨌든 사실이 아닌 정보이니 바로 정정해주는 것이 좋았을지도 모른다. 이때가 잘못된 정보가 퍼지는 것을 막을 가장 좋은 타이밍이었다.

어느 날 학교에 가보니 아이들이 웅성거리고 있었다. 별 관심 없는 화제로 떠들고 있겠거니 하고 넘기려는데, 웬일로 아이들 말소리에서 내 이름이 나오고 있었다. 자세히 보니 곁눈질로 나를 보고 있는 게 아닌가. 그들은 나에 대한 어떠한 이야기를 하고 있는 것이었다. 지금 생각해보면 당사자가 같은 공간에 있는데도 그런 뒷담 같은 걸 대놓고 한다는 것이 은근 불쾌하게 느껴지기도 하지만 그들 딴에는 다소 떨어진 거리라 안 들릴 거라 생각했을 수도 있고, 내가 워낙 다른 애들에게 관심을 안 두는 편이라 내가 본인들이 떠드는 것에 관심을 가지지 않을 것이라 생각한 모양이다. 어쨌든 나에 관한 화제라는 것이 몹시 신경 쓰인 나머지 나는 슬며시 그들을 향해 귀를 열었다. 내심 긴장하며 들은 그들의 이야기 속에서 황당하기 짝이 없는 말소리가 나왔다.

“오소영 걔 계단에서 떨어졌었대.”

내가 계단에서 떨어졌었다고 한다. 내가 계단에서 떨어졌었다고? 처음 듣는 소리였다. 내가 워낙 몸이 약하고 잦은 잔병치레 하긴 했어도 그만큼 안 아프고 안 다치게끔 남들보다 더 조심하고 살았던 터라 그렇게 크게 다칠 일이 없었다. 그런데도 말하는 아이가 마치 정확한 사실을 들은 것 마냥 자신에 차 있어서 나조차도 내가 과거에 계단에서 구른 적이 있었나 생각해봤다. 당사자인 나도 처음 듣는 나에 대한 정보에 당황하고 있는 동안 아이들의 말은 계속 이어졌다.

"아, 그래서 걔 계단 내려갈 때 그렇게 무서워한 거였구나."

"그럼 걔 앞으로 계단 있는 곳은 못 다니겠다."

"계단에서 떨어지면 병원 가봐야 하는 거 아니야?"

"그래서 옛날에 다리에 바늘 자국 수십 개 만들었다던데."

이야기를 들어보니 내가 계단을 무서워하는 것으로부터 시작된 이야기 같은데, 어째 계단을 무서워한다는 부분을 제외하면 전부 사실이 아닌 것들뿐이었다. 당시에는 살면서 바늘을 꿰매는 수술을 받아본 적도 없고 그렇게 크게 다쳐서 병원을 간 적도 없으며 아까도 말했지만 애초에 계단에서 구른 적이 없다. 아마도 몇몇 아이들은 내가 계단을 그렇게 무서워하는 것에 대하여 그들 나름대로 추측을 한 모양이었다. 그리고 그들의 상상력을 최대한 발휘한 결과 내가 계단에서 떨어졌던 경험이 있어서 계단을 무서워하는 것이라고 결론을 내린 듯하다. 누군가가 "소영이가 계단을 무서워하는 건 옛날에 계단에서 굴렀던 거 아닐까?"라는 말을 했을 것이다. 그리고 이 추측형의 말은 몇몇 아이들 사이에 오고 가면서 "소영이가 계단에서 굴렀었대."와 같은 확신형으로 변해있었을 것이고, 아이마다 각자의 추측을 덧붙이면서 이야기의

살을 붙였을 것 같다.

이후로 종종 몇몇 아이들이 나를 두고 비슷한 말소리를 하는 것을 보게 되었다. 나와 대화를 할 때 종종 "너 옛날에 계단에서 굴렀다는데 사실이야? 그래서 계단 무서워해?"와 같은 질문을 건네곤 했고, 종종 내가 계단을 무서워하는 것에 핀잔을 주는 아이가 있으면 다른 몇몇 아이들이 "야, 그러지 마. 소영이 예전에 계단에서 떨어졌어서 그래."라며 주의를 주는 것을 본 적도 있다. 후자의 경우에는 굳이 사실을 정정하면 내 편을 들어준 아이에게 찬물을 끼얹는 꼴이 될 것 같아서 반박을 못했고, 전자와 같은 경우에는 그것이 사실이 아니라며 정정해보기도 하였다. 하지만 소용없는 짓이었다. 아무리 올바른 정보를 알려줘도 이미 그들 사이에서 정설로 굳어진 데다, 더 자극적인 이야기가 머리에 심어져 있기 때문에 내가 뒤늦게 알려주는 심심한 사실은 금방 잊히기 때문이다. 사실을 정정하기에는 이미 정정할 타이밍을 훨씬 지나버린 뒤였다.

물론 이런 소문에 신경쓰는 건 당사자인 나뿐이었다. '같은 반 아이가 계단을 무서워하는데 듣기로는 계단에서 굴렀다더라'와 같은 이야기는 사실 별로 큰 화제는 아닌 데다 그렇게 많은 아이들 사이에 퍼진 말도 아니었기 때문에 몇몇 아이들이 수많은 얘깃거리로 잠깐 삼거나 몇몇 아이들이 나와 대화를 나누다가 그런 일이 있지 않았었냐고 묻는 것이 전부였다. 얼마 안 있어 내가 더 이상 계단을 무서워하지 않았을 즈음에는 아이들은 본인들이 그런 소문을 퍼다 나른 것도 잊어버린 듯했다. 애초에 이 소문으로 인해 내게 심한 안좋은 이미지가 심어진다거나 무언가 수혜를 입은 것도 아니기 때문에 굳이 정정하지 않아도 큰 문제 없는 일이었다.

하지만 나는 뭔가 거짓말쟁이가 된 것 같은 느낌이 들어 한동안 불편한 마음을 안고 가야 했다. 가만히 있는 것을 선택한 건 본인이니 부당한 생각일 수도 있지만 나에 대한 잘못된 정보가 정설인 것 마냥 떠도는 것을 보는 건 즐거운 일이 아니었다. 그래도 어쩌겠는가. 오해를 풀 최적의 타이밍을 놓쳐버린 이상 아무리 사실을 정정하고 다녀도 그 오해를 완전히 바로잡기는 힘들다는 걸. 리듬게임에서 아무리 박자를 잘 맞춰도 처음 박자를 틀리면 그 판의 풀콤보는 물 건너가는 법. 오해에 있어서도 처음 오해를 풀 타이밍을 놓쳐버리면 그 이후의 해명은 아무리 해도 소용이 없는 법이었다.

TIP! 뭐든지 늦었다고 생각할 때 놓치면 진짜로 늦는 법이다.

Good Combo

#가능성 #평범함을_넘어서

New Quest !

Good Combo

이혜람

리듬 게임은 음악에 맞춰 박자에 따라 진행하는 게임이다. 많이 알려진 게임으로는 통칭 '얼불춤'이라고 불리는 'A Dance of Fire and Ice'가 있겠다. 박자에 완벽히 맞았을 경우 'perfect'라고 뜨며 보다 많은 점수를 주지만 박자가 늦거나 빠를 경우에 그 정도에 따라 'great', 'good', 'bad', 'miss'의 단계로 나누어져 각각의 단계에 맞는 점수나 피해를 준다.

근데 특이한 점은 콤보에 있다. 보다 완벽한 박자를 맞출수록 콤보가 늘어난다. 그러나 박자를 잘 맞추지 못하면 콤보가 중단된다. 때문에 사람들은 보다 완벽한 박자와 콤보를 원한다. 보통 생각하기에 콤보가 이어지는 기준은 Perfect, Great, Good 과 Bad, Miss로 나뉠 것이다. 그러나 Good에서도 콤보는 중단된다.

특출난 재능, 특출난 외모, '특출함'에 사람들은 열광한다. 이를 소재로 한 방송 프로그램이나 대중 매체가 계속해서 나오는 이유다. 평범함에서 벗어난 특별한 주인공을 원하기 때문이다. 사람들은 평범하고 일상적인 것에 큰 흥미를 두지 않는다. 하다 못해 친구와 대화할 때도 “나 어제 출근했어”라든가, “나 어제 잤어”와 같은 일상적인 이야기를 굳이 하지 않는다. 그만큼 사람들은 특별함을 원하며, 그 욕망을 다양한 방식으로 대신 해소한다.

그렇다면 나는? 개인적인 만족이 객관적인 인정으로 돌아오지는 않는다. 평범한 20대다. 누군가는 평범의 기준이 무엇이냐고 물을 지도 모르겠다. 그러나 스스로 보는 나는, 무엇 하나 특별히 잘하는 게 없고 목적 없이 헤매는 평범한 청년이다. 그저 남들이 말하는 인생 계획에 크게 어긋나지 않는 삶을 살았다. 평탄하고 무난한 삶은 다른 의미로 밋밋하고 싱거웠다.

나에 대해서 더 이야기해보자. 좋게 말하면 신중하고, 나쁘게 말하면 우유부단하다. 실패가 두려워 도전하지 않는 겁쟁이다. 그러나 시간은 한낱 나를 기다려 주지 않는다. 자연스레 강제로 주어진 선택지는 나에게 큰 혼란이었다. 실패가 두려웠던 나에게는 그 작은 선택지조차 성공과 실패의 갈림길로 보였다. 몇 안 되는 경험으로 수많은 선택지 중에서 후회 없을 선택을 해야 했고, 늘 늦었다. 사람과의 관계도, 스스로를 돌보는 법도, 하다 못해 대학교 학과를 선택할 때도 남들보다 늦었다. 나는 평범보다도 못한 사람이었을지도 모른다.

느림이 나쁜 것인가? ‘빨리빨리’의 나라에서 느리다는 것은 죄악

으로 취급되기도 한다. 느린 배달은 화를 부르고, 느린 로딩은 속 터진다. 아무리 인생이 몇 십년 동안의 긴 여정이라고 하지만, 남들보다 느린 스스로를 보다 보면 답답함을 느낄 수밖에 없다. 렉이 자주 걸리고, 로딩이 길어지면 소외받기 마련이다. 사실 크게 잘못된 것이 없음에도, 남들보다 뒤처진 취급을 받는다.

집에서도 모서리에 부딪히고, 길을 가다가 혼자서 휘청이고, 잘 가다가도 꼭 무언가를 떨어뜨렸던 경험이 있는가? 참고로 저 위의 세 가지 예시는 전부 내가 경험한 것들이다. 이제 출발하고 약 10분 후에 무언가를 놓고 나왔다는 사실을 깨달았다면 완벽한 덜렁이 4종 세트라고 할 수 있다. 그야말로 우당탕탕 우영우가 따로 없다. 초등학교 때부터 시작된 이 유구한 우당탕탕의 역사는 지금도 계속되고 있다.

어렸을 때는 한두 번 겪은 일이 아님에도 늘 불안하고, 당황하고, 심지어는 울 것 같은 기분을 느끼기도 했다. 왜 나는 늘 이럴까 자책하고 자괴감을 느꼈던 적이 있었다. 나만 이렇게 실수하는 것 같고, 남들에게 피해를 주는 것 같은 기분은 스스로를 위축시켰다.

그러나 어느 순간, '실수를 많이 하는 나'를 받아들이기 시작했다. 완벽한 나를 추구하던 과거에서 그래도 괜찮은 나를 만들어 갔다. 이는 단순히 실수를 했음에도 방치하거나 회피하는 것이 아니라 이정도 실수가 자기자신에게 큰 영향을 미치지 않는다는 사실을 깨닫게 된 것에 가깝다. 단순히 부딪히는 것으로 큰 상처는 생기지 않고, 길을 가다가 넘어져도 부끄러움은 잠시일 뿐 나중에 웃으며 이야기할 수 있으며 실수로 떨어뜨린 물건은 주우면 된다. 요즘은 떨어뜨린 물건에게 고생이 많다며 위로하기도 한다. 잘 모르는 사람에게 내 행동은 다소 낙관적이고, 독특한 행동으로 보인다. 어쩌면 자신의 일에 부주의한데 심지어 신경도 쓰지 않고 방관한다며 욕할지도 모르겠다.

실제로 내가 어딘가에 부딪히고, 무언가를 떨어뜨리는 것에 크게 신경 쓰지 않는 모습을 보일 때마다, 사람들은 나 대신 놀라고 오히려 대신 괜찮냐며 걱정한다. 괜찮다는 내 말에도 몇 번이고 물어보며 "괜찮은 거 맞죠?"라고 걱정스레 쳐다본다. 그리고 그 중 대부분은 나에게 크게 신경쓰지 않아도 되는 사소한 일이다. 늘 있는 일이고, 나에게 크게 영향을 미치지 않는 일이고, 내 선에서 해결할 수 있는 일이기 때문이다.

그래, 요즘은 무슨 일이 생겼을 때, 일단 진정하고 생각한다. 그러면 대부분은 괜찮다. 몇 가지 문제는 여전히 울고 싶고 힘들지만, 백 가지 문제에 전부 울면서 대응할 수는 없는 법 아닌가. 그 울고 싶은 문제도 언젠간 웃으며 넘길 수 있을지도 모르는 법이다.

누구에게나 힘들지만 인간 관계는 나에게 누구보다 어려운 숙제였다. 어릴 때 유난히 내성적이고 소심했던 탓일까, 아니면 어린 나이에 친구를 사귀는 법을 제대로 배우지 못했던 탓일까? 당연한 사실을 몰랐고, 그런 와중에 먼저 다가가지도 못했다. 심지어 당시에는 지금보다 훨씬 고집도 세고 제멋대로인 구석이 있었다. 만약 누군가가 어릴 때의 나와 친구할 수 있냐고 물어본다면 난 한치의 망설임도 없이 '아니오'라고 대답할 것이다. 어릴 때의 나는 일종의 흑역사나 다름없다.

그러나 혼자 지내기에 너무 외로웠던 나는 스스로를 변화시키기로 했다. 사실, 단순히 외로움 때문에 변화하기 시작한 건 아니다. 자존심이 강했던 나는 "스스로도 괜찮아."라며 허세를 부리기 위해 변화했다. 처음은 웃음이었다. 늘 어딘가 뚱한 표정을 짓던 나는 거울을 보며 웃는 연습을 했다. 일부러 과장스레 웃어보이기도 하고, 손가락으로 입꼬리를 올리기도 했으며 스스로의 표정을 바꾸며 여러 모습으로 웃기도 했다. 여전히 뚱한 표정을 잘 짓는 나는 동시에 잘 웃는 사람이 되었다. 웃는 모습이 보기 좋다는 칭찬을 들었을 때 들었던 그 기묘하고 이상한 감정은 아직도 표현하기 어렵다.

85

지금까지의 이야기를 단순히 나는 달라졌다는 자기 자랑으로 보는 사람도 있을 것이다. 글쎄, 내가 달라졌다고 말할 수 있을까? 난 여전히 도전이 무섭고, 우유부단하고 사람을 만나기 꺼려한다. 새로 시작하는 일은 단순히 취미 활동이라도 오랫동안 고민하고 망설이며, 여러 사람이 모인 장소에서는 입도 벙긋 못하고 구석에 있기도 한다.

하지만 여러 부분에서 부족함을 느끼면서도 전보다 그 부족함에 좌지우지되지 않는 스스로를 발견할 수 있었다. 사실 근본적으로는 크게 바뀐 것이 없음에도, 사람을 만나고 사건을 겪었던 많은 경험은 분명 달라진 나를 만들었다. 바뀌고자 했던 쓸데없었던 노력들도 사실은 스스로에게 남아 미약하지만 큰 변화를 이끌어내었다. 조금 느려도 분명히 나아지고 있다는 확신이 스스로에게 새겨졌다.

어릴 때부터 우리는 알게 모르게 경쟁에 참여하고 있다. 말 한마디도 제대로 할 수 없는 어린 아기도 발달의 정도를 측정하며 수많은 아기들 중 몇 번째인지 확인하곤 한다. 좀 커서는 말하는 방식이나 생각의 차이를, 더욱 커서는 본격적인 성적과 입시의 경쟁이 우리를 기다리고 있다. 이런 경쟁 사회에서 남들과 자신을 비교하는 일은 어쩌면 당연하다.

하지만 그럴 때일수록 스스로를 보는 시간이 중요하다고 생각한다. 남들과 비교하다 보면 밑도 끝도 없는 열등감에 휩싸일 수 있기 때문이다. 자신을 돌아본다는 것은 어렸을 때보다 발전된 나를 보며 더 나아갈 수 있는 원동력을 얻는 일이다. 남들과 비교할 필요가 없다. 우리는 모두 나아질 수 있는 가능성이 있는 사람들이다.

"네잎클로버를 찾는 우리는 행운을 찾느라 행복을 짓밟고 있다."라는 말이 있었다. 이를 조금 바꿔서, "완벽을 추구하는 우리는 남들과 비교하느라 정작 자기자신을 짓밟고 있다"라고 말하고 싶다. 조금 뒤처지고 있는 자신이 완벽하지 않다고 지나치게 매도하지 않았으면 한다. 조금 놓치고(miss) 서투른(bad) 우리도, 평범하게 좋은(good) 우리도 모두가 연습하고 나아지려고 노력한다면 충분히 대단하고(great), 완벽한(perfect) 사람이 될 수 있다. 우리의 인생은 Good에도 깨져 버리는 그런 단순한 콤보가 아니니까.

TIP! 계속하다 보면 과거의 나를 뛰어 넘은 나를 발견할 수 있다

그럼 다시,
비트 주세요!

#눈빛_위_시한폭탄 #타이밍

New Quest !

그럼 다시, 비트 주세요!

정유리

"이 다음에 무슨 행동을 해야 하지?"

어떤 표정으로 어딜 바라보며 어떻게 서 있어야 하지? 손에 힘은 얼마만큼 줘야 하고 두 다리는 어느 정도로 벌려야 하며 어떤 통일된 의지로 존재해야 하지? 나는 종종 걸음마를 떼기 시작하는 어린애가 된다. 정확히는 그렇게 되어버린 자신과 뜻하지 않게 마주한다. 이따금씩 행동이 번잡해지는 것은, 마구 뛰어다니는 어린애를 붙잡는 데서 나온 노력이다.

누구도 꺼내지 않은 말 한마디에 우리는 자주 부서진다. "지금 당신의 혀 위치는 어디에 있나요? 당신은 숨을 어떤 박자로 쉬고 있죠?" 가벼운 웃음에 불수의적인 것들이 무너지기 시작한다. 조각난 것들을 이어붙이며 나는 다시금 중얼거렸다. 삶이 어떻게 연속적이라는 거야, 우리는 이렇게나 연약한데.

한 가지 행동을 완성한다는 건 찰나에 찰나를 연결한다는 의미와도 같다. 그렇기에 우리는 자주 싸우고 자주 부서진다. 사회성과 눈치 그리고 크지 않은 행동의 조절도 유치원에서 가르쳐주었으면 좋았을 텐데, 하고 날려 썼던 일기장. 지금은 불쏘시개가 되었지만 나는 그때의 우리에게 여전히 깊은 공감을 보낸다. 대다수가 공감하지 못할 것을 안다. 우리의 탓이 아닌 나의 탓이다. 참 곤란하다. 그저 우리의 행동이 남들 보기에 어색하지 않은지 파악했을 뿐이다. 미숙한 섬세함이 되려 우리를 갉아먹기 시작했다. 모로 가도 서울로만 가면 된다는 말은 우리 같은 강박적 혹은 완벽주의적 성격을 가진 사람들에게는 적용되지 않았다.

키보드를 두드리는 일은 초성이 입력됨을 확인한 후 중성을 입력하면 되기에, 타이밍을 정확히 알 수 있다. 하지만 사람 일은 그렇지 않다. 사람들은 모두가 행동하고 싶어 하는 동시에 모두가 행동하고 싶어 하지 않는다. 이에 나는 자연히 도로 위 교통사고보다 눈빛 위 교통사고를 더욱 두려워하게 되었다. 아마 '나'의 어려움은 행동을 끼워 넣을 타이밍을 스스로 정하지 못하는 것일 테다. 마치 시청각이 차단된 사람이 운전대를 잡고 있는 것과도 같다. 현행 도로교통법상 꼬리 물기와 안전거리가 확보되지 않은 끼어들기는 위법 행위다. 그렇기에 아직까지 면허도 없는 나는 몇 번이고 범법자가 되었다.

상대가 얼마만큼 이해하여 대화의 과정이 어디까지 진전되었는지,

이 대화의 신호등은 지금 무슨 색인지, 보이지 않고 들리지 않는 나로서는 알 길이 까마득하다. 앞의 사람이 가는 대로 따라가다 보면 나는 어느새 눈빛이라는 도로 한가운데 놓인 시한폭탄이 된다. 허겁지겁 네비게이션을 켜보지만 명랑한 부팅 안내음만이 울려퍼지고, 뒤의 사람들이 나를 의아한 눈으로 바라보기 시작한다. 이 다음에 무슨 행동을 해야 하지? 대화가 종료된 것인지, 아주 잠깐의 침묵인 것인지 파악하기란 왜 이리도 어려울까.

어떤 표정으로 어딜 바라보며 어떻게 서 있어야 하지? 손에 힘은 얼마만큼 줘야 하고 두 다리는 어느 정도로 벌려야 하며 어떤 통일된 의지로 존재해야 하지? 나는 또다시 걸음마를 떼기 시작하는 어린애가 된다. 차에서 급하게 내렸다.

잠시 화장실 좀 다녀올게요. 아니지, 커피 좀 사와야겠어요. 잠이 덜 깼나 봅니다.

도망치듯 나온 자리에서 카페까지는 걸어서 7분. 보폭을 좀 더 넓게 하면 4분 31초. Youtube Music이 알려준 2023 Recap을 떠올렸다. 가장 많이 들은 노래는 Tristam의 <Till It's over>. 2023년 10월 23일부터 감상했다는 문구 다음으로 228회라는 숫자가 적혀 있었다. 카페까지는 걸어서 7분. 보폭을 좀 더 넓게 하면 4분 31초. 나는 이어

폰을 귀에 꽂았고, 곧바로 229회의 음악을 재생했다. 보폭은 조금 더 넓게, 230회면 다시 차에 오를 수 있을 것이다. 아무리 들어도 질리지 않는다. 오히려 하이라이트 직전의 분위기를 알아버렸기에 편안하다. 마치 이미 알고 있는 산길을 눈감고 걷는 기분이다. 역시 직접 걸어야지. 우리, 차 따위와는 맞지 않는가 봐.

타이밍을 잘 맞추지 못하는 편에 속하면서도, 반응 속도는 좋은 편이다. '응당 그렇게 해야만 하는 일'이란 너무도 쉽게 티가 나기 때문인 듯하다. 아무래도 좋았다. 요즘의 고민거리라는 것은 쉽게 해결되지 않기에 자주 떠올려 봄직한 심심풀이 땅콩에 불과하니까. 그리고 그 반응 속도 덕분에 흔히 말하는 리듬 게임에도 강한 편이니까. 모바일 기기를 활용한 리듬 게임의 가장 흔한 세 가지 방식인 Touch, Holding, Flick[7] 중 무엇도 두렵지 않다. 좁은 화면 위에서 내 손가락들은, 단단하게 얼어붙은 빙판 위에서 서고 걷고 달리는 것처럼 자유롭다. 나의 안 좋은 버릇 중 하나인 '일상생활 중 이어폰 끼고 있기'는 이렇게 강화되고 유지되어 왔다. 끼어들기도 꼬리 물기도 일어나지 않는 세상. 자신이 가진 박자만이 오로지 'Perfect'인 세상. 그 안에서 나 또한 게임 속 오선지에 실린 음표 하나였다면 얼마나 좋았을까.

230회의 음악이 페이드아웃되고 있었다. 오셨어요? 불수의적인 것들이 다시금 무너지기 시작한다. 가벼운 웃음 뒤에 어린애를 다급히 숨겼다. 아, 네. 날이 춥네요. 아이스는 이제 그만둬야 할까 봐요. 아무도 신경 쓰지 않는 이야기, 적당히 하품 소리가 들렸다. 지금이다. 타이밍을 잘 맞추지 못하는 편에 속하면서도, 반응 속도는 좋은 편이다. '응당 그렇게 해야만 하는 일'이란 너무도 쉽게 티가 난다. 조각난 것들을 이어붙이며 나는 다시금 중얼거렸다. 삶이 어떻게 연속적이라는 거야, 우리는 이렇게나 연약한데.

연약하다며 불평하면서도 나는 몇 번이고 이어붙이고 있었다. 그 잘난 연속적인 삶을 한번 살아보고 싶어서. 'Perfect'한 박자를 리듬 게임 바깥에서도 이뤄내고 싶어서. 단번에 우회전하면 될 일을 앞의 사람 따라가느라 유턴하고 싶지 않아서. 우리의 생존이 곧 나의 생존이기에.

대개의 리듬 게임은 한번에 모든 노래를 열어 두지 않는다. 몇 곡을 일정한 점수 이상으로 클리어했을 때 좀 더 박자가 복잡한 다음 곡으로 넘어갈 수 있게 해주는 방식이 많다. 중요한 점은 ALL PERFECT 판정이 나오지 않아도 다음 곡으로 넘어갈 수 있게 해준다는 것이다.

성공을 생각한다면 매몰되어서는 안 된다. 비록 눈빛 위에서 몇 번이고 교통사고가 나고, 화면 위에서 몇 번이고 미끄러진다고 해도 적당히 Perfect 판정을 받았다면 그걸로 족하다. 높이 쌓아온 콤보가 한번의 Good 판정으로 인해 무너졌다고 해도 Game Over가 나오지 않았다면 그걸로 충분하다. 어쨌거나 다음 곡으로 넘어갈 수 있었으니 된 것이다. 이번 노래에서는 타이밍을 잘 맞추지 못했지만 다음 노래에서는 오히려 더 잘 맞추게 될 수도 있다. 리듬에 올라타기 전에는, 우리의 리듬과 세상의 리듬을 맞춰보기 전에는 아무도 모르는 일이다. 게임과 달리 현실의 Perfect 판정은 좀 더 넓고, 우리의 생각보다 유하다.

그렇기에 몇 번이고 부서지는 나를 어색한 모양이더라도 붙여 나가는 것이다. 뜻하지 않게 범법자가 되고 뜻하지 않게 Bad 판정을 받아도 그저 "지금이 아니구나."라는 짧은 외침을 낼 뿐이다. 인생은 완성되어야 하고, 이 음악에는 도돌이표가 없으며, 미숙하더라도 우리는 연속적인 흐름 위에 놓여 있기 때문이다.

만약 내 손에 세뇨Segno와 달 세뇨Dal Segno[8]를 쥐여준다면 나는 자꾸만 부서지는 '그 어린애'를 만나러 갈 것이다. 유일하게 쓰인 반복 재생 기호에 악보를 급하게 넘기는 소리가 난다. 어린애가 되고자 안

간힘을 쓰는 나를 다시 잘 어르고 달랬다. 그래, 네가 어릴 때 잃어버린 게 무엇이었는지 알려줄게. 조금만 기다려.

마침내 세뇨까지 돌아왔다.

좋아, 잘 들어. 너도 지금의 나와 같이 불수의적인 것이 자주 무너지고, 자신과의 협업이 잘 안 되는 상황에 놓여 있을 테야. 그건 오랫동안 너의 곁에 남아 너만의 우리를 방해할 게 분명해. 그러니 기억해! 비틀거리고 불안해 보이더라도 그것이 너의 리듬이야. 오선보 위에 놓인 음표 하나가 그 외 다른 모든 표시를 원망할 수는 없어.

하이라이트를 맞기 전에 네 멋대로 끝세로줄을 그리지 않도록 해. 이게 내가 알아낸 전부이자, 우리가 우리로 존재할 수 있는 마지막 이유야.

그럼 다시, 비트 주세요!

[퀘스트 보상] 불협화음을 대하는 우리만의 방법

두려움을 넘어서

#Full_Combo_다음은_ALL_PERFECT
#시작이_반이다

New Quest !

두려움을 넘어서

천성혁

“에이씨, 또 실수했네!”

사람은 살면서 수많은 실수를 하며 살아간다. 한번의 말실수로 친한 친구와 사이가 서먹해지기도 하고, 냉장고 깊은 곳에 봉인되어 유통기한이 지난 식재료를 발견할 때도 있다. 나는 실수가 두려웠다. 정확히는 지금도 두렵다. 완벽하게 준비하지 않으면 시작하는 게 두려워 포기하고, 미루고, 도망친다. 그러다가 어쩔 도리도 없이 시간이라는 집행인이 목을 죄어오면 그제야 뭐라도 하려고 발버둥치는 것이다.

확신 없이는 움직이지 못하는 한심한 추태에 누나도 한마디 한 적이 있었다.

“세상 일이라는 게 다 마음대로 흘러가지 않는데 고민만 하고 있으면 답이 나오지 않는다.”

“그럴 시간에 한번이라도 더 들이받아보고, 도전해 봐야 한다. 부끄러움은 한순간이지만 경험은 평생 간다.”

누나는 그렇게 조언을 해 주었지만, 솔직히 말해 당시에는 그렇게 와닿지 않았었다. 실수했을 때의 창피함은 눈앞에 있는데, 경험은 언제 도움으로 돌아올지 모른다. 그에 대한 욕구는 두려움을 이겨내지 못하

 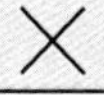

고 좌초되어버렸다.

항상 도망치고 포기하는 삶을 살다 보니 나는 어느새 열등감을 가지기 시작했다. 내 주변 사람들, 매체에서 접하는 사람들, "이 나이면 이 정도는 해야지~" 하는 그런 것들. 다른 이들이 모두 대단해 보였다. 그들이 원하는 바를 이루기 위해 필사적으로 사는 것이 아름다워 보였다. 그에 반해 나는 늘 도망치느라 무엇 하나 이룬 것이 없었다. 다른 사람들이 모두 자신의 이야기를 본격적으로 쓰고 있을 때 내 이야기는 서문도 겨우 깨작거리고 있었다. 가족들이나 친구들과 이야기할 때면 마치 그들이 저 하늘 위의, 손이 닿지 않는 별들과 같이 느껴졌다. 나는 포기하고 도망쳐 여전히 제자리에 있는데, 그들은 이미 저 멀리 떠나버렸구나. 내가 그들과 말을 나눌 '급'이라도 되는 걸까? 내가 끼는 게 방해되지는 않을까?

심할 때는 이런 경우도 있었다. 자기 비하가 심해져 '나는 어차피 안 돼.' '나는 그 정도밖에 안 되는 사람이야.' 같은 생각에 머릿속이 꽉 차버려 시도조차 하지 않거나, '내가 시도하는 것 때문에 누군가가 피해를 보는 건 아닐까?' 같은 생각을 하기도 했다. 나 자신을 실패자로 규정하고 살아왔던 것이다.

이런 생각을 바꿔준 계기는 한 인터넷 커뮤니티에서의 경험이었다.

개인적인 애착이 있는 게임이 있었는데, 외국 게임이라 서버가 한국에 있지 않아서 통신 문제가 빈번하게 발생하는 편이었다. 우연히 이 문제의 해결법을 알아내 커뮤니티에 글을 올렸었는데, 생각하던 것 이상으로 많은 관심과 고맙다는 인사를 받았다. 그제야 나는 '아, 나도 다른 사람에게 도움이 될 수 있구나.' 하고 조금이나마 자신감을 가질 수 있게 되었다. 우습게도 고작 글 하나가 십 년 가까이 계속된 자기 비하적인 삶의 변화의 계기가 된 것이다.

사실 계기가 되었다뿐이지, 그 이후로도 아주 큰 변화가 있지는 않았다. 여전히 도전하는 것은 두렵고, 도망치는 것에 익숙하다. 다만 차이가 있다면, 이전의 '못 해', '안 돼' 와 같은 생각에 '그래도 한번 시도는 해 볼까?' 라는 작디작은 도전정신이 더해졌다는 것이다.

여느 때처럼 저녁을 먹고 아버지와 적당한 잡담을 하다 보니 그런 이야기가 나왔다. 아직도 기억하는 말이다.

"사람들은 의외로 자기 일이 아니면 금방 잊어버린다."

당시에는 그렇게 큰 의미가 있는 말은 아니었다. 애초에 이 글의 주제와도 별 연관 없는 잡담을 하다 나온 말이니 말이다. 기억하기로는

역사 이야기를 하다 그런 말이 나왔던 것 같다.

그런데 어째서인지 침대에 누우니 그 말이 자꾸만 생각났다. 어쩌면 내가 타인의 시선을 너무 의식하는 게 아닐까? 하는, 그런 생각이 말이다.

얼마 뒤에 개인 과제물을 발표하는 시간이 있었다. 이전까지의 나였더라면 구글 TTS보다도 무미건조하게 발표하고 말았을 텐데, 그날따라 알 수 없는 자신감이 있었고 카페인의 힘을 약간(?) 빌릴 수 있었기에 들뜬 마음으로 임할 수 있었다. 생각하던 것을 필터를 거치지 않고 그대로 표현할 수 있었다. 카페인의 효과가 떨어지자 부족했거나 무리했던 부분들이 점점 생각나 부끄러움에 몸서리쳤지만, 적어도 무색무취였던 지금까지의 발표보다는 훨씬 효과적이고 긍정적인 발표였다는 판단을 내리지 않을 수 없었다. 게다가 성적도 좋게 받았기에 도전에 대한 자신감이 더 붙었다.

그때부터였나, '못 해', '안 돼' 같은 부정적인 생각이 들더라도 "그래도 한번 해볼까?" 라는 생각으로 시도해 보는 일이 늘었다.

물론 항상 성공하는 것은 아니다. 잘 풀리지 않아 일을 그르치기도 하고, 여전한 경로의존성으로 했던 방법만 반복하는 일도 비일비재하다. 두려움이 앞서 시도를 포기하는 경우도 줄긴 했지만 여전히 있었다.

조별과제를 할 때 '조장하실 분?'이라는 말을 들어도 그 책임감과 두려움에 눈치만 보기 일쑤다. 그래도 이전의 나와는 달라졌다고 자신 있게 말할 수 있다. 여전히 종종 자기 비하를 하고, 우울감에 잠긴 채 드러누워 오만 잡생각을 한다. 내 행동이 민폐가 되지 않을지 의심하고, 내 능력을 의심한다. 그래도 괜찮다. 왜냐하면 이제는 새로운 것에 도전할 수 있는 자신감이 생겼으니까.

나의 리듬 게임 경력은 올해로 7년 차가 되었다. 실력에 관해서는, 못하지는 않지만 그렇다고 자신 있게 "잘한다!" 라고 말할 처지는 되지 못하는 애매한 실력이다. 가끔은 이미 클리어한 난이도에서도 삐끗하다 MISS가 뜨기도 한다.

리듬게임을 시작한 지 얼마 되지 않았던 초심자 시절에는 높은 난도의 곡에 도전하는 게 두려웠던 적이 있다. 한동안은 익숙한 곡들만 계속 반복해서 즐겼었다.

그렇게 지내던 와중에 좋아하던 곡이 게임에 추가되었다. 문제는 내가 즐기던 난이도보다도 높은 난도로 추가되었던 것이다. 처음에는 수많은 MISS가 나를 맞아주었다. 라이프 포인트[9]가 전부 깎이니 "다시 도전하시겠습니까?"라는 창이 떴다. 이전이었다면 '에휴 그만하자. 내가 할 수 없는 일이야.' 하고 그만뒀을 텐데, 좋아하던 곡이었기에 포기할 수 없었던 나는 오기가 생겨 계속 도전했다. 두 번째에도 크게 달라지지는 않았다. 세 번째, 네 번째… 열몇 번째 도전만에 나는 그 곡을 클리어할 수 있었다.

성공하니 자신감이 붙었다. 그 곡과 같은 난이도의 곡에도 차례차례 도전하게 되었다. 곡마다 조금씩 달랐지만, 처음 도전할 때보다는 오히려 쉬웠다. 몇 번만에 클리어할 수 있었고, 한 번만에 클리어한 곡도 있었다. 나중에는 풀 콤보를 하기도 했다. 점점 고난도의 곡에 도전하니 실력도 점차 늘어갔다. 되돌아보면, 마치 내 삶을 함축한 듯했다. 세세한 부분은 달랐지만, 계속 도망만 치다 우연한 계기로 도전하여 자신감을 얻는 꼴이 꼭 그렇게 느껴졌다.

앞으로의 삶에서 겪을 실패와 낙담할 일은 수없이 많을 것이다. 그래도 마음속에 도전할 수 있는 자그마한 용기를 남길 수 있다면, 극복해 낼 수 있지 않을까. 판도라의 상자에 희망이 남아 있었듯이 말이다.

[퀘스트 보상] 프로젝트 세카이(2020)

? 여기서 잠깐 !

#리듬

리듬 게임은 플레이어가 음악의 리듬에 맞춰서 조작하는 등의 방식으로 진행되는 게임 장르다.

주요 특징은 다음과 같다.

1. 음악 중심: 리듬 게임은 장르 특성상 음악 없이는 게임이 성립되지 않는다.

2. 타이밍: 음악의 리듬에 맞춰 정확한 순간에 버튼을 누르는 등 타이밍에 맞게 조작해야 한다.

3. 판정: 정확한 타이밍에 조작했는지를 판정한다. 대부분의 리듬 게임에는 성공/실패 판정이 있으며, 게임에 따라 이러한 판정 체계에 조금씩 차이가 있다.

가천
인문 책 프로젝트를
마치며

나의 튜토리얼 회고록

가천 인문 책 프로젝트를 마치며

우리는 모두 인생이라는 게임을 플레이하는 모험가였다. 태어나면서부터 생존이 달린 퀘스트를 받는 셈이다. 그리고 좀 더 자라면서 순간순간 어떠한 삶을 살 것인지를 정하는 선택지를 고르고, 여러 경험을 하면서 경험치를 쌓고, 어렵거나 나를 고생시키는 시련과 맞서 싸운다. 당장 눈앞의 퀘스트를 해결하느라 급급했던 사람들도 있었을 것이고, 이후에 보스와 싸울 것을 대비하여 능력치 배분과 아이템 구매를 철저히 해뒀던 사람들도 있었을 것이고. 아무튼 우린 자기만의 전략을 짜면서 이렇게 20여 년간 우리 모두 각자 자기만의 보스와 퀘스트를 해치우느라고 고생했다. 성인이 이 게임의 최종 챕터인 것처럼 달려왔다.

그랬었는데, 막상 스무 살 지나고 나니까 깨달은 건 우린 아직 인생의 반도 오지 않았다는 것. 우리가 지금껏 겪어온 건 튜토리얼에 불과하고 지금 역시 튜토리얼을 밟는 중이라는 것. 튜토리얼은 본게임에 들어가기 전 연습단계이다. 연습단계의 게임은 보통 단조롭고 일정한 패턴에서 벗어나지 않고, 그래서 다소 지루한 면도 없지 않아 있는 그런 느낌일 테다. 그런데 우리가 겪었던 우리의 튜토리얼은 뭐랄까, 너무 치열하지 않은가. 이런저런 변수도 많고, 어떤 선택은 훗날까지 오랫동안 영향을 주고, 무언가를 하면 그걸 하기 전으로 돌릴 수도 없고,

긴장과 불안의 연속이다. 튜토리얼이 이렇게 고난도여도 되는 것인가. 그래도 이런 지옥의 난이도 속에서도 주어진 퀘스트 하나하나 해치워 가며 나름 보스까지 물리쳤건만, 알고 보니 내가 해치운 것이 사실은 중간보스조차도 아니었다니, 정말 허무하기 짝이 없다.

그래도 지난 날을 돌이켜 보면 알 수 있는 것은 우리의 치열한 튜토리얼이 결코 헛되진 않았다는 것이다. 일반적으로 게임에서 튜토리얼을 잘 익힐수록 본게임을 더 수월하게 임할 수 있듯이, 우리가 어릴 적에 겪었던 다양한 사건들, 꿈에서도 나올 그리운 순간이든 당장이라도 지우고 싶은 부끄러운 순간이든 그 모든 것들은 우리 안에서 경험치가 되어 쌓여 우리로 하여금 더욱 현명한 선택을 하도록 이끌어 주고. 또한 추억으로도 남아 우리가 힘든 순간 무너지지 않게 도와주기도 할 것이다. 그러니 열심히 달려왔는데 아직 인생의 초반이라고, 튜토리얼이라고 너무 막막해하거나 허무해하지 않아도 된다. 튜토리얼을 치열하게 플레이한 당신은 지금껏 열심히 살아왔다는 것이고, 앞으로의 튜토리얼도 잘 해낼 것이다.

용어 해설

나의 튜토리얼 회고록 ×

용어 해설

① 퀘스트; Quest(p.6)

임무. 해결하면 경험치나 장비, 재화 등 보상을 받을 수 있다. 게임 내 스토리에 직접적 영향을 미치는 메인 퀘스트, 간접적으로 영향을 미치거나 게임의 세계관을 더 자세히 알 수 있는 서브 퀘스트가 있다.

② NPC; Non-Player Character(p.32)

사람이 직접 조작할 수 없는 캐릭터를 의미한다.

③ 확장팩(p.33)

게임 본편의 밸런스를 변경하거나 새로운 컨텐츠 등의 부가 기능을 추가해 판매하는 상품을 뜻한다.

④ 업적(p.33)

업적 혹은 도전 과제 시스템은 일반적으로 게임 진행에는 영향을 주지 않지만, 사람들의 도전 욕구를 자극한다. 결과적으로는 게임을 더 오래, 더 깊이 즐길 수 있게 돕는다.

⑤ 원 코인 클리어; One coin clear(p.64)

코인(돈)을 넣어야 시작할 수 있는 아케이드 게임 등에서, 게임 오버 없이 한번에 게임을 깨는 것. 게임 오버가 없을 경우, 게임 플레이에 필요한 코인은 처음 넣은 코인 하나뿐이므로 이러한 방식은 원 코인 클리어라고 불린다.

⑥ 콤보; Combo(p.72)

연속적인 행동을 계속 지속하는 행위 혹은 그런 조합. 리듬 게임에서, 콤보를 유지할 경우 보통보다 더욱 큰 점수를 얻게 된다. 처음부터 끝까지 콤보를 유지했을 경우, '풀콤보Full combo'라고 부른다.

⑦ Touch, Holding, Flick(p.93)

리듬게임에서, '터치Touch'는 박자에 맞춰 노트를 짧게 눌렀다 떼는 것, '홀딩Holding'은 박자에 맞춰 노트를 길게 누르고 있다가 다시 박자에 맞춰 떼는 것, '플릭Flick'은 박자에 맞춰 노트를 튕겨내는 것을 말한다.

⑧ 세뇨Segno와 달 세뇨Dal Segno(p.95)

작곡에서, '달 세뇨'는 '세뇨' 표시가 있는 곳까지 돌아가 연주를 재개하라는 의미로 쓰인다.

⑨ 라이프 포인트; Life point(p.102)

게임 속 플레이어가 타격을 입어도 게임을 지속할 수 있는 정도를 뜻하며, 체력 혹은 HP라고도 불린다.

'프로젝트'라는 단어가 그리 낯설지 않은 요즘. 여럿이 모여 몇 권의 '책'을 만들기로 했다. 일상 곳곳에서 맞닥뜨리는 지극히 익숙한 대상이지만, 줄곧 읽을 생각만 했지 정작 이를 만드는 일까지는 상상해 보지 못했던 터였다.

'가천'에서 '인문'으로 만난 이들. 처음부터 끝까지 기획, 집필, 편집, 디자인 모두 이들 손에 이루어졌다. 매년 이맘때면 이런 결과물이 앞자리 번호를 달고 하나둘 쌓이리라 기대한다. 시간을 거스르며 결국은 그 숫자들이 우리를 이어 줄 것이다.

짧지만 강렬했던 한 달이 지난 지금, 어느새 모두 책 한 권의 저자가 되었다. 첫 출판의 도전을 마치자마자 우리는 또 각자 새로운 이야기를 꿈꾼다. 그 출발을 함께할 수 있어 기쁘고 벅차다.

2020년 12월

'가천 인문 책 프로젝트'를 시작하며,

가천대학교 인문대학

'가천 인문 책 프로젝트' 시리즈

01 나도 모르게 먹히었다
 - 김주민, 이하윤, 이예빈, 박용춘
02 스무 살은 무거워서 집에 두고 다녀요
 - 백희원, 김창희, 한예지
03 배라도 든든하게, 글밥 한 끼.
 - 김미경, 신성호, 정량량
04 쩝쩝박사
 - 김준형, 이금라, 임세아, 한주희
05 가장 개인적인
 - 김성일, 서윤희, 이노자예, 조윤희
06 의성이의 시끌벅적한 하루
 - 김다영, 김연수, 손문옥, 임현중
07 밥통
 - 허윤준, 이정선, 레 뚜안 안, 응웬 트렁키엔
08 성남에서의 가천-로그 (Gachon-log in Seongnam)
 - 강진주, 구기언, 김목원, 김선우, 김솔, 노주영, 문준수, 문창환, 박도이, 백다은, 소힙존, 신기문, 신지수, 오영은, 윤상연, 윤우석, 이가연, 이승렬, 이영주, 이종희, 임동현, 정다현, 정주영, 정진미, 최선호, 치트러카준, 현재호, 정선주
09 서툴러도, 사랑해
- 권지은, 김은서, 김주영, 이하늘
10 전지적 도로시 시점
- 이윤선, 심보영, 이승유, 김가빈
11 카페인과 수면제 사이
- 김준호, 이윤수
12 비록 파라다이스는 아닐지라도
- 송윤서, 이예솜
13 커피 칸타타, 한낮에 꾸는 꿈
- 김유진, 신현기, 최수빈
14 늙은 왕자
- 양혜원, 조소빈, 차소윤, 최민영
15 추억 발자국
- 김가윤, 손수민, 이창규, 정다연
16 탈피
- 김선아
17 찾았다, 프랑스! - MZ세대가 바라보는 프랑스-한국
- 강다솜, 김유경, 안미르, 이유정
18 나의 길 2022
- 홍채린, 김수민, 이예원, 김연재, 김현수, 방극현, 이유선, 임영재, 이다원,
  배효정, 정유나, 안소연, 오현택, 김민주, 권라혜, 장상구, 최민수, 김해진,
  신정민, 최수인, 장미리, 조성은, 배지은, 임형준, 정슬아, 정지윤, 송인동,
  최대원, 김유화, 이상현, 이상훈, 권사랑, 이은지, 임정식, 이만식
19 REALTY for REAL (진짜들을 위한 부동산) [가천대 영어교재 시리즈-01]
- 방극현, 최대원, 송인동, 임형준
20 팝송 가사 실전에 써먹기(Popping expressions in Pop songs)
  [가천대 영어교재 시리즈-02]
- 배효정, 권라혜, 신정민, 이다원, 임영재, 최수인, 정슬아
21 Dumbo와 함께 말해요 [가천대 영어교재 시리즈-03]
- 김민주, 권라혜, 안소연, 정유나
22 동화로 시작하는 영어공부 [가천대 영어교재 시리즈-04]
- 장미리, 권사랑, 배효정, 신정민, 이다원, 이유선, 조성은, 홍채린
23 별들의 놀이터(Playground of the Stars) [가천대 영어교재 시리즈-05]
- 송인동, 김민주, 김수민, 김연재, 김유화, 이예원, 정유나
24 전치사가 누구야? 대단한 품사지~ [가천대 영어교재 시리즈-06]
- 김현수, 배지은, 오현택, 이상훈, 임정식, 최민수
25 누구나 영어로 말할 수 있다 [가천대 영어교재 시리즈-07]
- 이은지, 정슬아, 최수인, 최민수, 장상구, 안소연, 권라혜, 오현택, 조성은, 정지윤
26 TRENDER: 젊음의 시각으로 시대를 읽다
- 강영흠, 김동환, 김시현, 김지윤, 이가현, 정준영
27 노선 밖의 이야기
- 김지수, 박소연, 이효진, 지은결, 천지영
28 나의 튜토리얼 회고록
- 오소영, 이미현, 이혜람, 정유리, 천성혁
29 각자의 새벽 속에서
- 강중현, 강태경, 김연유, 안주현, 황민지
30 3월 여름밤의 낙엽은 폭설이다
- 김민선, 김현정, 남궁설, 서민지
31 파도타기
- 김정현, 김혜정, 박경아, 양혜인
32 여기저기 써먹는 일상 한국어 (중국어 ver)
- 권자연, 김현진, 조수경, 채예인, 황민서
33 마왕에게 꼭 필요한 조언 모음집

- 김동현
34 프랑스 문화 올림픽
- 김의나, 김종현, 김하진, 남치원, 박채연, 성윤지, 신동훈, 신승연, 양기성, 양현진, 이재형, 이주아, 정승아, 지창훈, 진희원, 허수정
35 중국, 넌 어떻게 생각해? : 중국인 인식 개선 프로젝트
- 김다희, 윤태민, 최하늘
36 Travel Bible: For Chinese Student at Gachon University
- 곽민정, 김예림, 김예신
37 즐겨찾기 서울: 한 권으로 보는 서울 핫플레이스
- 양다연, 유혜린, 이나현

나의 튜토리얼 회고록

발 행 | 2024년 1월 5일
저 자 | 오소영 이미현 이혜람 정유리 천성혁
펴낸이 | 한건희
펴낸곳 | 주식회사 부크크
출판사등록 | 2014.07.15.(제2014-16호)
주 소 | 서울특별시 금천구 가산디지털1로 119 SK트윈타워 A동 305호
전 화 | 1670-8316
이메일 | info@bookk.co.kr

ISBN | 979-11-410-6504-1

www.bookk.co.kr